D1511729

ЕЛЕНА КОЛПАКОВА

великолепные прически и хитросплетения из кос

АСТ
Москва

УДК 687.5
ББК 38.937
К21

Колпакова, Елена

К21 Модные косы. Великолепные прически и хитросплетения из кос / Елена Колпакова. – Москва : АСТ, 2014. – 131, [1] с.: ил. — (Косы и косички)

ISBN 978-5-17-082844-9

Косы из книги Елены Колпаковой – непревзойденное оружие женской красоты, они украсят вас на любом вечере, выделят из толпы и оживят любой праздник с вашим участием, будь это день рождения подруги или собственная свадьба!

УДК 687.5
ББК 38.937

КОЛПАКОВА ЕЛЕНА

МОДНЫЕ КОСЫ

ВЕЛИКОЛЕПНЫЕ ПРИЧЕСКИ И ХИТРОСПЛЕТЕНИЯ ИЗ КОС

Зав. редакцией *Е.В. Ларина*
Редактор *Е.В. Погосян*
Технический редактор *Н.Н. Духанина*
Компьютерная верстка *И.В. Гришин*

Общероссийский классификатор продукции
ОК-005-93, том 2; 953 000 – книги, брошюры

Подписано в печать 16.11.13. Формат 70x90/12. Усл. печ. л. 12,87.
Тираж 4000 экз. Заказ № 3607.

ООО «Издательство АСТ»
129085, г. Москва, Звездный б-р, д. 21, стр. 3, ком. 5

Отпечатано в филиале «Тверской полиграфический комбинат детской литературы» ОАО «Издательство «Высшая школа»
170040, г. Тверь, проспект 50 лет Октября, д. 46
Тел.: +7 (4822) 44-85-98. Факс: +7 (4822) 44-61-51

ISBN 978-5-17-082844-9

Содержание

Приветствую вас, дорогой читатель. Раз у вас в руках оказалась эта книга, наверняка вы, так же как и я, неравнодушны к красоте. Я очень рада, что вас привлекло мое искусство, и могу заверить вас в том, что в мастер-классы, представленные в данной книге, вложено большое количество труда, времени и всей моей творческой энергии.

Я всегда стараюсь подходить к творческому процессу с большой ответственностью, задумываясь прежде всего над тем, будет ли понятна и интересна моя идея читателю. Я очень надеюсь, что мне удалось создать действительно ценный материал, который принесет вам не только удовольствие, но и необходимые знания для создания красивых и модных причесок из кос.

Я занимаюсь созданием различных образов (прически и макияж) уже более 3 лет и сегодня не представляю без этого вида искусства свою жизнь. Действительно, я предпочитаю называть это искусством — наравне с музыкой, литературой или живописью. Искусство создания красивых образов никогда не теряет свою актуальность, переходит из поколения в поколение, развивается и изменяется, привлекая чуткие творческие натуры своей тонкостью и глубиной.

Я очень люблю свое дело и во все свои творения вкладываю частичку своей любви. В данной книге вы найдете 40 таких частичек — мастер-классов с неповторимыми образами.

Для этой книги я отобрала свои лучшие авторские идеи, они уникальны, и вы нигде больше не найдете точно таких же идей. Каждый мастер-класс подробно иллюстрирован и описан, поэтому вы легко сможете повторить мои идеи или же даже создать что-то свое, основываясь на них.

Если моя книга придется вам по душе, я буду очень рада видеть вас на своем сайте http://styleel.ru

Мой сайт на 95% посвящен моим авторским идеям и лишь на 5% идеям других людей, которые пришлись мне по душе.

На сайте вы найдете:

- видеоуроки по созданию причесок на себе;
- видеоуроки по созданию причесок другим людям;
- фотоуроки по созданию причесок;
- мое портфолио, наглядно демонстрирующее, что данный вид искусства не ограничен.

Также на моем сайте вы сможете заказать пошаговые обучающие DVD-курсы по созданию причесок и обучиться различным видам плетения, не отходя от любимого компьютера.

Я желаю вам приятного обучения и больших творческих успехов.

Искренне ваша, Лена Колпакова

Советы начинающим стилистам

В наши дни тема косоплетения настолько актуальна и востребована, что появляется все больше желающих обучиться этому виду парикмахерского искусства.

Информации на данный момент очень много, как качественной, так и не очень. Порой многие новички без разбора и понимания сгребают всю эту информацию в одну кучу и применяют все виды плетения и другие «фишки» в прическе одновременно! Неудивительно, что такие прически больше напоминают копну сена, в которую набросали все, что попалось под руку.

В любом деле нужно начинать с малого, и только когда вы действительно хорошо научитесь делать несложную прическу, переходите к более сложной. Вот и в своей книге я обозначила звездочками степень сложности каждой прически, чтобы вы сразу могли сориентироваться.

В основном новые схемы плетения кос берут свои истоки из техники плетения макраме, бисероплетения и других видов рукоделия. Разнообразие — штука нужная и полезная, но при создании причесок необходимо все же не забывать про то, что в итоге образ должен не просто подходить человеку, но еще и придавать ему особый шарм.

Поэтому не стоит делать из головы новогоднюю елку, перебарщивая с различными сочетаниями плетений и украшений.

Прически с косами подходят абсолютно всем: и юным прелестницам, и взрослым дамам — здесь важно правильно определиться с видом плетения. На мой взгляд, плетение «колосок» или, как его еще называют, «рыбий хвост» — идеальный вариант для всех возрастов.

Тем не менее все это очень индивидуально, и к каждой отдельной клиентке нужно подходить разборчиво. Будьте немного критичны к себе как к мастеру и старайтесь заранее обдумать предполагаемый результат. Не предлагайте взрослым дамам прически, которые делаете на школьницах, и в то же время не стоит делать на юных леди взрослые, вечерние, тяжелые прически. По мере накопления опыта вы научитесь более чутко подходить к созданию образа и соответственно к выбору техники плетения и использованию аксессуаров.

Что касается аксессуаров, то я не советую вам использовать их слишком много в любой прическе, особенно в прическе с плетением, т.к. плетение само по себе несет в себе достаточно элементов. Плетение в прическе выглядит оригинально, эффектно и зачастую не требует дополнительных украшений — если только вы не найдете что-то маленькое и не особо броское.

Разнообразие причесок

При желании прически можно разделить на раз-

Прическа — это только часть образа 

Практичность – важная составляющая любой прически и залог вашего успеха как мастера

личные группы, подходящие для того или иного случая: вечерние, праздничные, клубные, на каждый день, офисные, на выпускной, свадебные и детские. Но лично я не считаю это правильным подходом.

Всегда необходимо помнить, что каждая женщина неповторима, и одна и та же прическа будет на одной смотреться празднично, а на другой, к примеру, по-детски.

Кроме прически, в целостности образа большую роль играют правильно подобранная одежда, аксессуары, цвета косметики и даже запах туалетной воды.

Собираясь на то или иное мероприятие, руководствуйтесь вашим настроением на данный момент и поделитесь им со своим стилистом, чтобы тот мог с легкостью проецировать его на ваш сегодняшний образ.

Задумайтесь при выборе плетения о практичности прически, особенно когда на нее возлагаются большие надежды. Будет очень обидно, если в самый разгар праздника она вся растреплется.

К примеру, плетение узлами. Если оно сделано со вкусом и с умением, то это очень оригинальное и красивое плетение, но именно в практичности оно уступает другим стилям, т.к. представляет собой воздушное и ажурное сооружение из волос. Для фотосессии, для легкого, спокойного ужина в ресторане оно подойдет. Но стоит вам отплясать одну зажигательную мелодию — и прически как не бывало.

Как вы думаете, почему многие известные стилисты, при таком многообразии плетений, создают свои коллекции причесок лишь с единицами из них? Ответ заключается в чувстве стиля и вкуса, пришедших к ним с годами, в опыте работы с практичными и непрактичными плетениями и в актуальности того или иного стиля для современного энергичного и делового человека.

Парикмахерские аксессуары

Чтобы легче было создавать более эффектные и оригинальные прически, я частенько прибегаю к помощи различных парикмахерских аксессуаров, таких как валики и сеточки для волос. Использование их для самых разнообразных образов — это прекрасная возможность обойти трудности, возникающие при работе с короткими и тонкими волосами.

На самом деле существует не так уж много ограничений по созданию той или иной прически, и самые радикальные из них — это полное отсутствие волос или слишком короткая их длина (под мальчика).

Стайлинговые средства

Для того чтобы прическа была аккуратной и держалась крепко, используйте при плетении различные средства фиксации. Это может быть воск, гель или гель-коктейль. В некоторых случаях можно использовать другие стайлинговые средства, но лично я использую только гель-коктейль и в конце фиксирую лаком.

В любом искусстве советовать что-то конкретное очень сложно, и каждый мастер самостоятельно, путем личных проб и ошибок выбирает себе идеального помощника в создании незабываемого образа.

Как я уже сказала выше, в самом конце фиксируйте прическу лаком. С лаком, так же, как и с воском или гелем, не перестарайтесь, т.к. прическу можно легко испортить, создав эффект грязных волос.

В прическе должна присутствовать легкость, естественность, а в некоторых случаях даже доля небрежности.

> Прически с плетением, если все сделано грамотно, держатся достаточно долго сами по себе, поэтому я предпочитаю использовать минимум стайлинговых средств

Шпильки, невидимки и другие мелочи

Для поддержания и фиксации формы прически, а также дополнительных элементов, участвующих в создании образа (шиньоны, валики), необходимо использовать шпильки и невидимки. Крепление из невидимок или шпилек необходимо делать, ориентируясь на форму и размер валика. Цвет валика желательно подбирать под цвет волос.

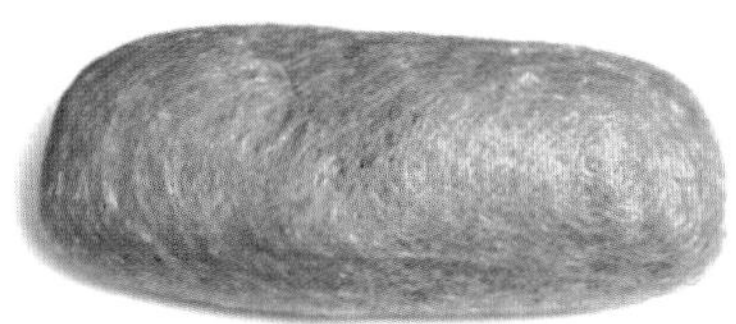

Шпильки могут быть разными, как по длине и форме, так и по цвету. Рекомендую приобретать шпильки средней длины (примерно 65 мм) — этого вполне достаточно, чтобы надежно зафиксировать прическу. Есть шпильки длиной 45 мм, они удобны при фиксации отдельных мелких элементов в прическе.

Шпильки бывают прямые и волнообразные, гладкие и шероховатые. Я люблю использовать волнообразные и шероховатые шпильки, т.к. они лучше других держат прическу — а значит, вам понадобится меньшее количество шпилек для надежности конструкции прически.

Что касается цвета, то шпильки могут быть черными, медными и серебристыми. Подбираются они, соответственно, под цвет волос: для темных используются черные, для светлых — медные или серебристые.

Еще одним замечательным средством крепления прически являются невидимки. Подбирать их нужно желательно тоже по цвету волос. Чем они ближе к цвету волос, тем они менее заметные. Невидимки должны быть тугими и не перекручиваться во время фиксирования.

Покупайте только качественные шпильки и невидимки. Главным критерием качества и безопасности шпилек и невидимок являются круглые шарики на концах. Именно благодаря шарикам вы не пораните кожу головы, волосы не будут цепляться за острые концы и у вас или ваших клиенток не возникнет ощущения дискомфорта.

Не переусердствуйте с количеством шпилек и невидимок. Килограмм невидимок — далеко не всегда гарантия надежности прически, а иногда и ее недостаток. Крепите только там, где это действительно необходимо.

Помимо шпилек и невидимок, вам могут пригодиться маленькие силиконовые резинки. Советую вам покупать их в профессиональных парикмахерских отделах, т.к. приобретая их в обычных магазинах или на рынке, вы можете столкнуться с плохим качеством. Некачественные резинки могут подвести вас и вашего клиента в самый неподходящий момент.

Еще один must-have (непременный атрибут) среди парикмахерских принадлежностей — это резинки с крючком. Резинка с крючком надежна и удобна в использовании, особенно если у вас длинные волосы. При завязывании хвоста нет необходимости его постоянно тревожить, вам достаточно зафиксировать у основания хвоста крючок, обмотать хвост и зацепить второй крючок за первый.

В своих работах, особенно в вечерних или свадебных вариантах причесок, я очень люблю использовать сеточки для волос. Какие они бывают и в чем заключается их незаменимость? Постараюсь рассказать вам вкратце.

Начну, пожалуй, с достоинств данного аксессуара: во-первых, сеточки для волос облегчают процесс создания в прическе разнообразных форм. Волосы при укладке не распадаются, и вы с легкостью сможете выложить в прическе задуманную форму.

Во-вторых, вы сможете придать прическе еще больше объема, всего лишь потянув за края сеточки. Данный прием необходимо использовать, когда прядь уложена и зафиксирована невидимками или шпильками. Единственное условие: нужно правильно подойти к созданию самой формы прически. В прическе должен быть баланс, равновесие.

Перед тем как положить прядь в сеточку, соберите ее в хвост и зафиксируйте резинкой. Сделайте начес пряди с внутренней стороны по всей длине, от хвоста до кончиков, с внешней стороны отчешите, чтобы поверхность была гладкой. Слегка зафиксируйте лаком. Возьмите сеточку, закрепите ее невидимкой около основания хвоста и вложите в сеточку ранее подготовленную прядь. После того как заготовка создана, приступайте к воплощению задуманного образа.

Сеточки для волос по внешнему виду напоминают паутинку. Они бывают разного размера: большие, маленькие, средние. При выборе размера учитывайте длину пряди, которую вы планируете в нее поместить. Конец пряди не должен сильно скручиваться.

Помимо размера, необходимо обращать внимание и на цвет сеточки — его желательно подбирать под цвет волос.

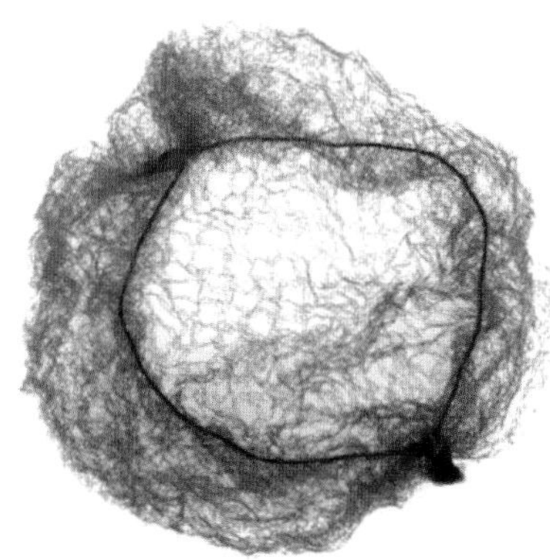

И конечно, ни один мастер не обойдется в своей работе без такой привычной вещи, как расческа. При таком многообразии расчесок, которое имеется в продаже, можно растеряться, запутаться и сделать неправильный выбор.

На самом деле, если вы только создаете прически без использования фена и без окрашивания волос, то вам достаточно иметь в своем арсенале следующие расчески:

- Расческа с мелкими или крупными зубчиками. Возможен вариант расчески, где есть и мелкие, и крупные зубчики. Обычно такую расческу используют для стрижки волос.
- Расческа с хвостиком для разделения прядей и создания проборов.
- Расческа с натуральной щетиной для начеса.
- Щетка плоская или круглая с натуральной щетиной, в случае если волосы густые и простой расческой не обойтись.

При создании прически вам понадобятся зажимы. Ими очень удобно фиксировать выделенную и временно не используемую прядь волос, что заметно упрощает творческий процесс.

Главный принцип хорошего мастера — умение создать комфортную рабочую обстановку для себя и для своего клиента. Цените качество приобретаемых инструментов, ведь вы хотите быть Мастером с большой буквы, а такой Мастер и его клиенты заслуживают только самого лучшего.

Формы лица. Коррекция лица с помощью прически

Тема формы лиц на самом деле очень сложная, и мне объяснить ее вам не так просто, потому как я в большей степени практик, чем теоретик. В Интернете очень много статей на эту тему, но все они однотипные, подогнанные под один шаблон, который многим не совсем понятен. Я постараюсь вам объяснить все просто и доходчиво.

Хочу сказать сразу, что понимание того, что идет человеку, а что нет, приходит со временем и, естественно, с практикой. Когда я только начинала заниматься прическами, тема формы лиц для меня была очень сложной из-за уникальности и разнообразия наших образов. Не часто встретишь лицо, четко напоминающее квадрат, прямоугольник, треугольник, овал или круг — тем не менее именно так и называют основные формы лиц.

Овальное лицо

Считается классической формой лица. Для него подойдет любая форма прически. Поэтому для того, чтобы лишний раз выгодно подчеркнуть щедрый дар природы, девушкам с овальной формой лица достаточно подобрать прическу, соответствующую их настроению и внутреннему миру. У вас прекрасная возможность экспериментировать с прическами и стрижками, для того чтобы найти максимально подходящий вариант прически.

Что же касается остальных форм лица, то ваша задача состоит в том, чтобы приблизить все остальные формы лица к овалу.

Круглое лицо

Если лицо круглое, ни в коем случае нельзя допустить, чтобы прическа повторяла его форму. В данном случае при создании прически необходимо добавить объем в зоне макушки. Лицо зрительно удлинится и приблизится к овальной форме.

Добавить объем на макушечной зоне можно разными способами: это может быть начес, предварительно накрученные и уложенные локоны, объем из ажурных кос, или же можно использовать для быстроты создания прически валик или шиньон для волос.

Длинные волосы, как известно, вытягивают форму лица, делая ее менее округлой — особенно если они слегка вьются и при этом немного прикрывают скулы.

Для круглой формы лица лучше всего подходят различные вариации косых челок, желательно с профилированными концами.

Короткие прически для круглого лица не запрещены, но к этому нужно тоже подойти с умом. Объем при короткой прическе должен доходить только до линии ушей, а дальше сужаться, чтобы еще больше не расширить лицо.

Обладательницам круглых лиц не рекомендуется носить прически средней длины, особенно такие, где пряди заканчиваются на линии скул: это только акцентирует внимание на их ширине.

Не стоит зачесывать все волосы назад, собирать их в «конский» хост, делать прямой пробор либо пытаться укладывать внутрь волосы, которые свисают по бокам прически, поскольку данные приемы лишь подчеркнут форму круглого лица.

Прямоугольное лицо

Для такого лица характерен высокий лоб и длинный подбородок, вследствие чего высота лица значительно превышает его ширину. Основная цель при создании прически в данном случае — это придание лицу дополнительной ширины и округлости.

Этого можно достичь, используя длинную челку до бровей, которая уменьшит высоту лица. Объема можно достичь за счет рваного (профилированного) контура стрижки. Пусть в вашем арсенале всегда будут прически с волнистыми локонами, это всегда красиво, актуально и позволит вам приблизить форму лица к идеальной. Концы волос можно подкрутить вовнутрь, это зрительно расширит лицо. Мягкие начесы и локоны — одним словом объем — старайтесь делать только по бокам, чтобы лишний раз не вытянуть лицо еще больше.

Следует избегать высоких причесок и причесок с прямыми волосами большой длины, чтобы не вытянуть лицо еще больше.

Квадратное лицо

Оно характеризуется широким подбородком и таким же широким лбом. Здесь в прическах следует избегать четких и резких линий и идеального зачеса волос назад, когда волосы собирают в хвост или в пучок. Такая прическа только откроет и подчеркнет квадратную форму лица.

Так же как и при круглой форме лица, ваша задача — вытянуть макушечную зону, придав ей объем.

Чтобы выглядеть более женственно, необходимо отдать предпочтение прическам с удлиненным силуэтом и волосам длиной до плеч — это удачное сочетание уравновесит форму лица.

В любом из вариантов прически для данного типа лица наиболее выгодно смотрятся те, у которых волосы опускаются ниже подбородка. Не советую увлекаться прическами с объемными локонами. Ровные волосы помогут скрыть грубые черты лица. Так же как и для круглой формы лица, для квадратной формы приветствуются прически с филированными концами.

Треугольное лицо

Это лицо с узким подбородком и широкими выступами скул. Ваша цель — скрыть чрезмерную ширину верхней и средней частей лица. Волосы должны быть направлены вверх в районе макушки и в ширину в районе от мочек ушей до подбородка. Неплохо также увеличить объем волос на затылке. Не желательно открывать лоб, уши более чем наполовину, делать короткую челку и зачесывать волосы назад!

Мастером может стать каждый!

Все это на первый взгляд может показаться сложной и далекой от жизни сухой теорией, но ни в одной профессии без нее не обойтись, и искусство создания причесок не является исключением. Нужно знать особенности лица, чтобы скрыть его недостатки и подчеркнуть достоинства.

Со временем и практикой вы научитесь с первого взгляда на человека понимать, какая прическа выгодно подчеркнет его красоту. Ведь в каждом из нас есть своя личная и неповторимая индивидуальность.

Каждый раз, когда в календаре мелькает мероприятие, мы начинаем задумываться о том, какой сделать свою прическу. Как уложить волосы, чтобы выглядеть особенно ярко, не так, как в будничной суете? Несмотря на огромное разнообразие вечерних причесок, зачастую нам не хватает фантазии, чтобы что-то придумать за короткое время. Чтобы подготовка к ответственному вечернему мероприятию превратилась из стресса в приятный творческий полет, я рада поделиться с вами своими идеями, которые облегчат вам эту задачу.

Сейчас в моде ценится естественность, и если не замахиваться на чудесные произведения искусства профессионалов с 20-летним стажем, можно вполне за несколько месяцев научиться создавать отличные, естественные и гораздо более интересные прически, чем те, которые вы умеете делать сейчас.

Только представьте:

- каждый день — новая прическа;
- независимость от услуг профессионалов;
- экономия денег;
- лестные отзывы окружающих о вашем таланте.

Это дорогого стоит! Все, что от вас требуется, чтобы самостоятельно научиться создавать прически, — это много практики, терпения и внимательное изучение мастер-классов и других материалов по созданию различных образов.

Чтобы научиться делать самые элементарные прически себе самой, необходимо прежде всего хорошо понимать технику плетения. Когда вы доведете до автоматизма технику и практически с «закрытыми глазами» будете плести косы на ком-то, только тогда вы сможете воспроизвести то же самое на себе.

Самой себе прическу действительно сделать гораздо сложнее по одной простой причине: руки невозможно переставить в другое место, а их движения несколько меняются, когда голова находится сверху, а не перед вами. Руки при плетении приходится держать долгое время наверху, они затекают, все начинает валиться, и в такой момент кажется, что это невозможно! Хочу сказать, что нет ничего невозможного! Ловкость и уверенность всегда приходят с практикой. Так что практикуйтесь как можно больше, и однажды у вас не возникнет сложностей с созданием прически на себе.

Приобретите себе в качестве помощника учебную голову и оттачивайте на ней навыки создания причесок. С каждой новой прической вы будете все более уверенно создавать все лучшие и лучшие прически. Только не останавливайтесь на учебном манекене, практикуйтесь и на живых моделях, т.к. в жизни волосы у людей разные по типу, структуре и стрижке, а у манекенов практически одни и те же.

Надеюсь, моя книга станет вашим незаменимым другом и помощником в осуществлении ваших целей, но одних моих советов будет недостаточно. Я не обещаю вам чудес и прошу смотреть на вещи реально. От вас прежде всего потребуется усердие, энтузиазм и все те качества, которые позволят вам добиться хороших результатов.

На самом деле творчество заразительно! Многие уже «заразились» и создают такую красоту, что моей радости нет предела! Мне очень хочется, чтобы каждая женщина была ежедневно красива, вызывала восхищение как у мужчин, так и у себя самой, эпатировала окружающих своей неординарностью и оригинальностью. Ведь быть красивой не так сложно, а если представить, сколько сразу возможностей открывается перед человеком, который взялся за развитие своих талантов, то и жизнь превращается в одно сплошное удовольствие.

Чего скрывать, всегда приятно слышать комплименты в свой адрес и тем более осознавать, что в этом есть твоя заслуга. Мы все талантливые люди, так что давайте дружненько раскрывать свои таланты и в полную силу направлять их в нужное русло.

Желаю вам не зависеть от профессионалов, а становиться ими самим! Будьте всегда красивыми и уверенными в себе!

Также желаю вам успехов в вашем творчестве и в успешном поиске своей личной изюминки, которая подчеркнет как нельзя лучше вашу яркую индивидуальность.

Базовые техники плетения

Перед тем как вы погрузитесь в мир творчества и красоты, я бы хотела познакомить вас с самыми основными техниками работы стилиста: плетение колоском, плетение из 3, 4 и 5 прядей — без которых не обойдется ни один уважающий себя мастер.

1. Колосок без подхвата — это плетение, в котором не используются дополнительные пряди с боков.

Чаще всего такой вариант косы плетется с хвоста. Расположение хвоста может быть самым разным.

Техника плетения:

1 Выделите зону волос или соберите волосы в хвост. Разделите выделенную зону волос на две равные части.

2 Выделите из одной части волос небольшую прядь.

3 Перекиньте ее на противоположную часть.

4 Аналогично поступите и со второй частью волос: выделите из второй части тонкую прядь, перекиньте ее на противоположную сторону.

5 По желанию аккуратно вытяните из косы пряди для придания косе объема.

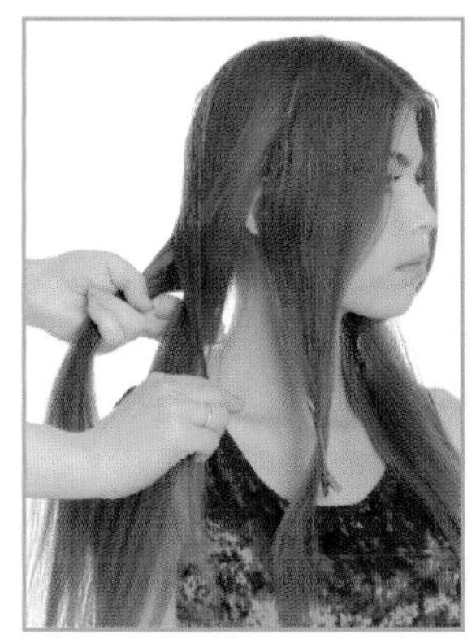

Колосок без подхвата можно плести и сбоку, повторяя те же шаги.

2. Колосок с подхватом — это плетение, в котором используются дополнительные пряди с боков.

Данный вариант плетения актуален, если плетение в прическе начинается с макушечной зоны. Дополнительные пряди с боков используются в качестве дополнительного крепления косы.

Техника плетения:

1 Выделите небольшую прядь волос с макушечной или с височной зоны. Все зависит от варианта выбранной вами прически.

2 Разделите выделенную прядь волос на две равные части.

3 Выделите из одной части волос небольшую прядь и перекиньте ее на противоположную часть.

4 Аналогично поступите и со второй частью волос: выделите из второй части тонкую прядь, перекиньте ее на противоположную сторону.

5 Повторите вновь пункт 3 и добавьте, к ранее перекинутой пряди, дополнительную прядь сбоку.

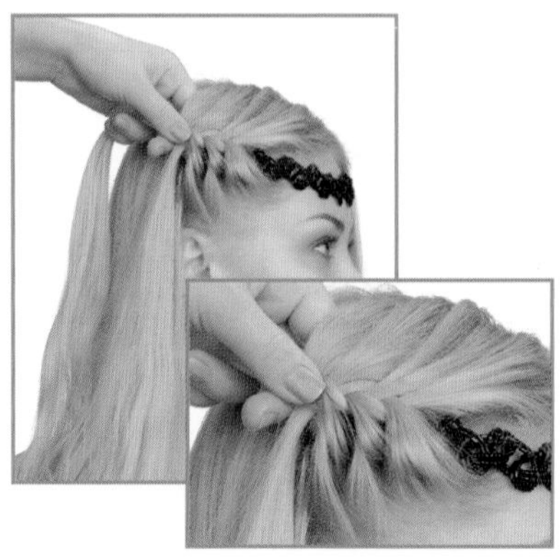

6 Аналогично поступите и со второй частью волос: выделите из второй части тонкую прядь, перекиньте ее на противоположную сторону, добавьте к ней же дополнительную прядь сбоку.

7 По желанию, аккуратно вытяните из косы пряди, для придания косе объема.

СОВЕТ: Старайтесь брать пряди средней толщины. Если брать слишком толстые пряди, то плетение «колосок» начинает напоминать обычную косу, а если слишком тонкие — то будет смотреться не так эффектно и к тому же займет очень много времени. При выборе толщины пряди обращайте внимание на густоту волос: если волосы густые, берите пряди тоньше, и наоборот.

3. Плетение простой косы из трех прядей с подхватом (внешнее исполнение).

При внешнем исполнении данного плетения крайние пряди кладутся не НА следующую прядь, а ПОД нее.

Техника плетения:

1 Выделите небольшую прядь волос с макушечной или с височной зоны. Все зависит от варианта выбранной вами прически.

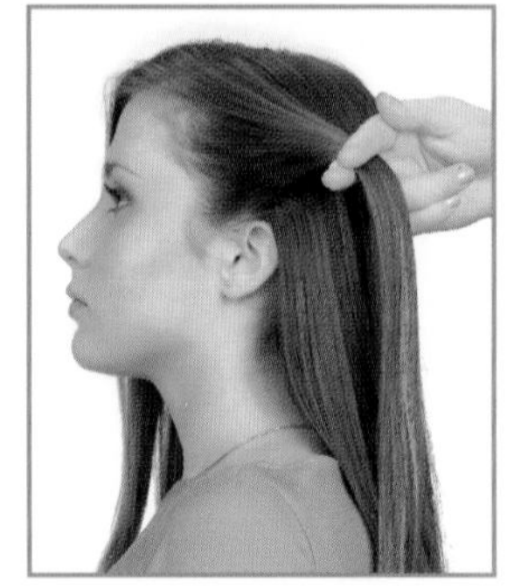

2 Разделите выделенную прядь на три равные части.

3 Крайнюю прядь справа уведите под центральную прядь.

4 Перейдите к другой стороне и проделайте то же самое: крайнюю прядь слева уведите под центральную прядь. К крайней правой пряди не забудьте добавить дополнительную прядь сбоку и увести ее под центральную прядь (соседнюю). К крайней левой пряди не забудьте добавить дополнительную прядь сбоку и увести ее под центральную прядь (соседнюю). С данного момента последние два шага будут повторяться.

4. Плетение из четырех прядей с лентой (без подхвата).

Важный момент: длина ленты всегда должна быть в два раза больше длины ваших волос.

Техника плетения:

1 Соберите волосы в хвост, зафиксируйте резинкой.

2 Зафиксируйте ленту невидимкой у основания хвоста как дополнительную прядь или просто привяжите ее к хвосту, прикрыв тем самым резинку.

3 Разделите хвост на три равные части. Лента будет у вас дополнительной прядью. Итого у вас получается всего четыре пряди. Расположение прядей (отсчет идет справа налево): 1-я прядь, 2-я прядь, 3-я прядь (лента), 4-я прядь.

4 Первую прядь перекиньте на вторую и уведите под третью прядь (лента).
Четвертую прядь (крайняя левая) уложите под первую прядь (соседняя) и на третью (лента). В итоге у вас в левой и в правой руке будет по две пряди.
С данного момента следующие шаги будут повторяться:
а) крайнюю правую прядь уложите на четвертую прядь (соседнюю) и под третью (лента);
б) крайнюю левую прядь уложите под первую прядь (соседнюю) и на третью прядь (лента).

СОВЕТ 1: Главное — помните, что третья прядь (лента) никогда не может быть крайней прядью, она всегда остается по центру, обматывая соседнюю прядь то сверху, то снизу. Крайняя правая прядь всегда ложится **на** соседнюю прядь, а крайняя левая прядь всегда **под** соседнюю прядь. Эти рекомендации уместны только в том случае, если отсчет прядей ведется справа налево, как в данном примере.

СОВЕТ 2: Вместо ленты можно использовать бусы, ажурную тесьму и все, что подскажет ваша фантазия. Если вы выбираете широкую ленту более 5 мм, то важно, чтобы она была более жесткой, чем обычная атласная лента, т.к. при плетении она может сворачиваться, перекручиваться и выглядеть не совсем привлекательно.

5. Плетение из четырех прядей с лентой (с подхватом).

Важный момент: длина ленты всегда должна быть в два раза больше длины ваших волос.

Техника плетения:

1 Выделите небольшую прядь волос с макушечной зоны либо с височной. Все зависит от варианта выбранной вами прически.

2 Зафиксируйте ленту под прядью невидимкой, как дополнительную прядь, или просто привяжите ее к пряди.

3 Разделите выделенную прядь на три равные части. Всего у вас получается четыре пряди. Расположение прядей (отсчет идет справа налево): 1-я прядь, 2-я прядь, 3-я прядь (лента), 4-я прядь.

4 Первую прядь перекиньте на вторую, добавьте к ней дополнительную прядь сбоку, соедините и уведите их вместе под третью прядь (лента). К четвертой пряди (крайняя левая) добавьте дополнительную прядь сбоку и уложите под первую прядь и на третью прядь (лента). В итоге в левой и в правой руке у вас будет по две пряди.

5 К крайней правой пряди не забудьте добавить дополнительную прядь сбоку и уложить их на четвертую прядь (соседнюю) и под третью (лента). К крайней левой пряди не забудьте добавить дополнительную прядь сбоку и уложить их под первую прядь (соседнюю) и на третью прядь (лента). С данного момента последних два шага будут повторяться. К крайней правой пряди не забудьте добавить дополнительную прядь сбоку и уложить их на четвертую прядь (соседнюю) и под третью (лента). К крайней левой пряди не забудьте добавить дополнительную прядь сбоку и уложить их под первую прядь (соседнюю) и на третью прядь (лента). С данного момента последних два шага будут повторяться.

СОВЕТ: Главное — помните, что третья прядь (лента) никогда не может быть крайней прядью, она всегда остается по центру, обматывая соседнюю прядь то сверху, то снизу. Крайняя правая прядь всегда ложится **на** соседнюю прядь, а крайняя левая прядь всегда **под** соседнюю прядь. Эти рекомендации уместны только в том случае, если отсчет прядей ведется справа налево, как в данном примере.

Вместо ленты можно использовать бусы, ажурную тесьму и все, что подскажет ваша фантазия. Если вы выбираете широкую ленту более 5 мм, то важно, чтобы она была более жесткой, чем обычная атласная лента, т.к. при плетении она может сворачиваться, перекручиваться и выглядеть не совсем привлекательно.

6. Плетение из пяти прядей с подхватом (внутреннее исполнение).

При внутреннем исполнении крайние пряди кладутся не ПОД следующую прядь, а НА нее.

Техника плетения:

1 Выделите небольшую прядь волос с макушечной или с височной зоны. Все зависит от варианта выбранной вами прически.

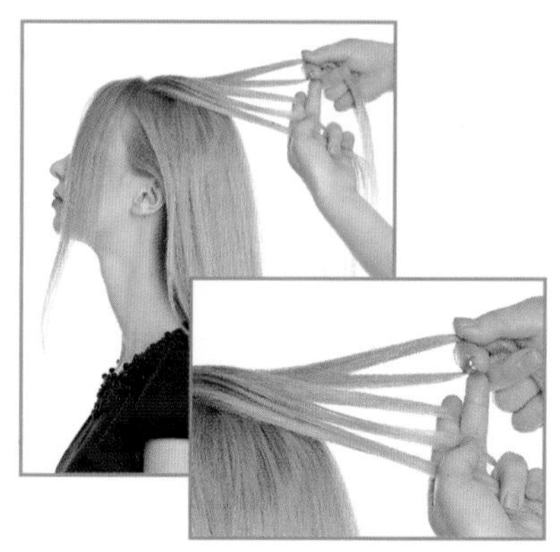

2 Разделите выделенную прядь на пять равных частей. Пронумеруйте у себя в голове все пряди, чтобы проще было понять технику плетения. Неважно, с какой стороны вы начнете нумерацию, с любого края, будь то левый или правый, первые две пряди пронумеруем как 1 и 2, то же самое сделаем и с другой стороны. У нас остается одна центральная прядь, ей мы присвоим номер 3.

3 Начинайте плести справа, первую прядь на вторую и под третью (центральную).
Перейдите на другую сторону (левую), заплетите аналогично: первую (крайнюю левую прядь) перекиньте на вторую и уведите под среднюю (соседнюю) прядь.

4 Далее плетите до конца, повторяя сделанные ранее шаги.

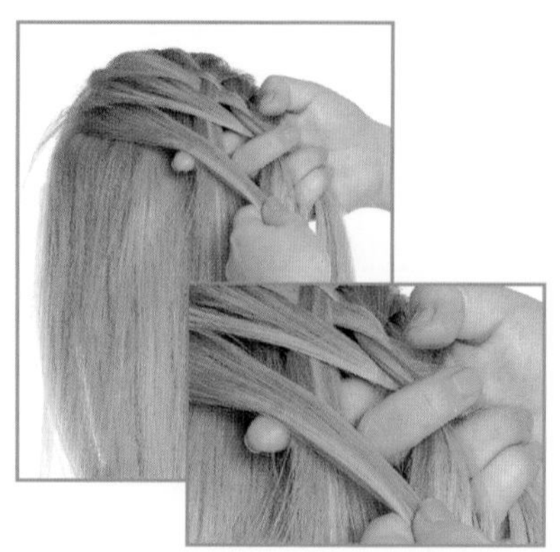

5 Далее плетите до конца, повторяя сделанные ранее шаги.

6 К каждой крайней пряди справа и слева не забывайте добавлять дополнительные боковые пряди.

СОВЕТ: При многопрядном плетении очень важно держать пряди не просто правильно, но еще и удобно. Старайтесь держать пряди у самого основания, чтобы плетение получалось не слишком слабым.
Если вдруг вы запутались в таком количестве прядей, не переживайте, сделайте шаг назад. Посмотрите, в какой руке у вас окажется 3 пряди — с той стороны и начинайте плетение вновь.

7. Плетение из пяти прядей с подхватом (внешнее исполнение).

При внешнем исполнении крайние пряди кладутся не НА следующую прядь, а ПОД нее.

Техника плетения:

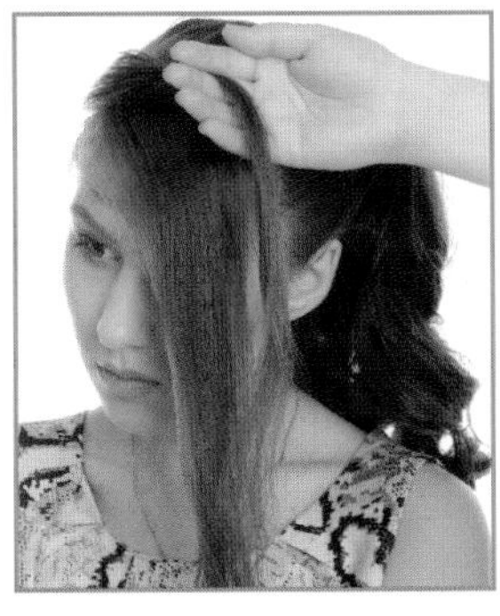

1 Выделите небольшую прядь волос с макушечной зоны либо с височной. Все зависит от варианта выбранной вами прически.

2 Разделите выделенную прядь на пять равных частей. Пронумеруйте у себя в голове все пряди, чтобы проще было понять технику плетения. Не важно, с какой стороны вы начнете нумерацию, с любого края, будь то левый или правый, первые две пряди пронумеруем как 1 и 2, то же самое сделаем и с другой стороны. У нас остается одна центральная прядь, ей мы присвоим номер 3.

3 Начинайте плести справа, первую прядь под вторую и на третью прядь (центральную). Перейдите на другую сторону (левую), заплетите аналогично: первую (крайнюю левую прядь) уведите под вторую и положите на среднюю прядь (соседнюю).

4 Далее плетите до конца, повторяя сделанные ранее шаги. К каждой крайней пряди справа и слева не забывайте добавлять дополнительные боковые пряди.

Романтичная загадка *

В ПРИЧЕСКЕ ИСПОЛЬЗОВАЛИСЬ:

Шпильки, невидимки

Силиконовые резинки

Лак

Если у вас вьющиеся волосы, то природа уже сделала для вас огромный подарок!

Существует масса способов уложить локоны, а главное, вам всегда обеспечен нужный объем, для получения которого другие тратят массу времени, сил и различных косметических средств, портящих структуру волос.

Прически для вьющихся волос могут быть самыми разными, и сейчас у вас есть прекрасная возможность изучить один из таких вариантов. На идеально прямых волосах все получится по-иному. Для того чтобы получить желаемый результат, вам придется слегка завить волосы.

С такой прической вы смело можете отправиться на романтическое свидание. Данный образ в очередной раз подчеркнет вашу красоту, естественность и легкость. А самое главное, что такую прическу можно сделать себе самостоятельно за считанные минуты, не прибегая к услугам профессионалов.

1 Разделите зону челки косым пробором, как показано на фото. Выделите прядь волос средней толщины.

2 Зафиксируйте выделенную прядь маленькой силиконовой резинкой.

3 Разделите прядь по центру на две равные части.

СОВЕТ 1: Пробор может быть прямым, косым и зависит от формы лица.

4 Проденьте сверху эту же прядь до конца.

5 Слегка подтяните прядь снизу.

6 Для придания косе объема вытяните равномерно с двух сторон пряди, как показано на фото.

7 Выделите по всей окружности головы горизонтальным пробором еще одну прядь волос.

8 Соедините ранее выделенную прядь с предыдущей прядью. Зафиксируйте резинкой.

9 Разделите прядь по центру, как показано на фото.

СОВЕТ 2: Для того чтобы объемная коса не тянула волосы и не вызывала дискомфорта, зафиксируйте ее невидимками в нескольких местах.

СОВЕТ 3: Кончик косы можно убрать внутрь, зафиксировав невидимками. Тем самым вы придадите прическе еще более праздничный вид.

10 Аналогично проденьте ее сверху.

11 Подтяните прядь снизу, чтобы создать эффект гармошки. Вытяните пряди равномерно с двух сторон, как показывалось ранее.

12 Когда боковые пряди закончились, продолжайте завязывать резинки на хвосте через одинаковое расстояние. Точно так же продевайте их через центр и вытягивайте равномерно с двух сторон пряди для объема.

13 Приподнимите прядь сверху для создания объема и зафиксируйте ее невидимкой с внутренней стороны в таком же положении.

14 После того как прическа будет готова, еще раз внимательно осмотрите ее со всех сторон.

15 Проверьте равномерность вытянутых прядей, при необходимости подкорректируйте прическу шпильками или невидимками. Зафиксируйте прическу лаком.

Страсть и обаяние

Как создать самостоятельно вечерний вариант прически, используя стандартный «конский хвост»? Ответ на этот вопрос вы найдете в данном мастер-классе.

Прическа проста и оригинальна одновременно.

Для создания целостного образа добавьте соответствующий макияж и одежду, как, например, продемонстрировала наша модель, и все взоры, комплименты и море внимания будут в этот вечер обращены только на вас.

Не бойтесь быть в центре внимания, экспериментируйте!

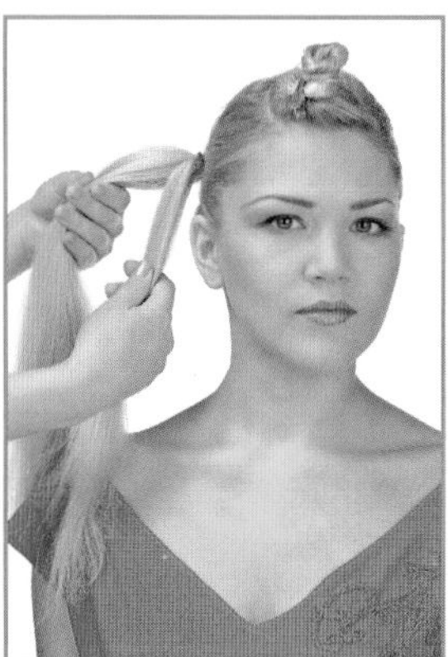

1 Выделите в форме треугольника зону челки. Зафиксируйте зажимом.

2 Все остальные волосы соберите в высокий хвост сбоку. Зафиксируйте резинкой.

3 Выделите небольшую прядь волос из хвоста, как показано на фото.

В ПРИЧЕСКЕ ИСПОЛЬЗОВАЛИСЬ:

- Шпильки, невидимки
- Зажимы для волос
- Силиконовые резинки
- Резинка с крючком
- Плойка двойная
- Лак, гель-коктейль

СОВЕТЫ: Расположение хвоста в данной прическе может быть самым разным: на затылочной зоне, на макушечной зоне, сбоку и т.д. На длинных волосах для фиксирования хвоста удобно использовать резинку с крючками.

4 Заплетите простую косу из трех прядей. По ходу плетения не забывайте вытягивать боковые пряди из косы. В данном примере я вытягивала с одной стороны, т.к. невытянутая сторона укладывалась ближе к центру хвоста и являлась серединой цветка, но вытягивать пряди можно и с двух сторон. Кончик косы зафиксируйте резинкой.

5 Продолжайте выделять из хвоста пряди примерно одной толщины и заплетайте из каждой пряди ажурную косу. Вы можете изначально разделить весь хвост на несколько равных частей, отделить каждую часть зажимом для удобства и заплести поочередно ажурные косы.

6 По мере плетения кос укладывайте их в сторону и фиксируйте зажимом, чтобы они вам не мешали.

7 Когда все пряди заплетены, освободите их от зажима. В данном варианте прически получилось пять ажурных кос. Количество ажурных кос может быть разным, все зависит от густоты волос и от толщины пряди, выделяемой из хвоста.

8 Выделите самую крайнюю ажурную косу, закрутите ее вокруг основания хвоста. Зафиксируйте косы невидимками в нескольких местах, с внутренней стороны.

9 Возьмите вторую ажурную косу и аналогично ее уложите. Чтобы цветок был более объемный, при закручивании косы отступайте немного места от первого круга.

10 С остальными косами повторите предыдущие шаги.

СОВЕТ: Сильно перегружать прическу невидимками и шпильками не стоит. Прическа должна быть зафиксирована надежно, но для этого не обязательно использовать все шпильки и невидимки, имеющиеся в вашем арсенале. Чрезмерное их количество может вызвать тяжесть и дискомфорт.

11 Освободите зону челки от зажима. Накрутите ее на плойку, как показано на фото. Плойка может быть самой разной формы и диаметра. В зависимости от используемого варианта плойки, результат будет каждый раз иным.

12 Дайте локону немного остыть. Вы можете слегка обработать локон-волну воском или гелем для придания ей еще большей четкости.

13 В местах изгиба волны зафиксируйте челку невидимкой.

14 После того как прическа будет готова, еще раз внимательно осмотрите ее со всех сторон. Проверьте равномерность вытянутых прядей, при необходимости подкорректируйте прическу шпильками или невидимками. Закрепите завершенный образ лаком.

Вечерняя элегия

Удивительно, но прическа меняет человека не только внешне, она способна преобразить до неузнаваемости его характер, манеру поведения, взгляд! Вот и в данный образ закралась некая загадка, которую нам всем следует разгадать.

Прическа не так проста в исполнении, и самостоятельно на себе сделать ее будет трудно, т.к. в ней используется валик для волос, который не так просто закрепить на себе самой.

Но отчаиваться точно не стоит, т.к. у вас в руках есть подробный мастер-класс, и если очень хорошо попросить свою подругу, то с такой прической вы поразите всех своей оригинальностью на любом мероприятии.

В ПРИЧЕСКЕ ИСПОЛЬЗОВАЛИСЬ:

- **Шпильки, невидимки**
- **Валик для причесок, губка**
- **Маленькие силиконовые резинки**
- **Гель-коктейль**
- **Лак**

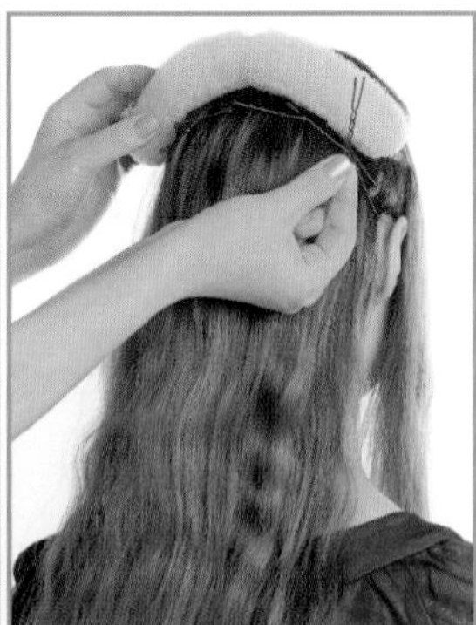

1 Выделите зону челки, как показано на фото. Зафиксируйте ее зажимом, чтобы она вам не мешала.

2 Разделите волосы на макушечной зоне на две части, как показано на фото. Сделайте параллельно выделенному пробору крепление из невидимок с двух сторон. Ширина между невидимками должна быть примерно равна ширине используемого валика. Подбирайте невидимки и валик в цвет ваших волос.

3 Положите на пробор валик. Закрепите валик шпильками, используя невидимки как базу для крепления шпилек. Для этого вам необходимо продеть шпильку через край валика и завести ее под невидимку.

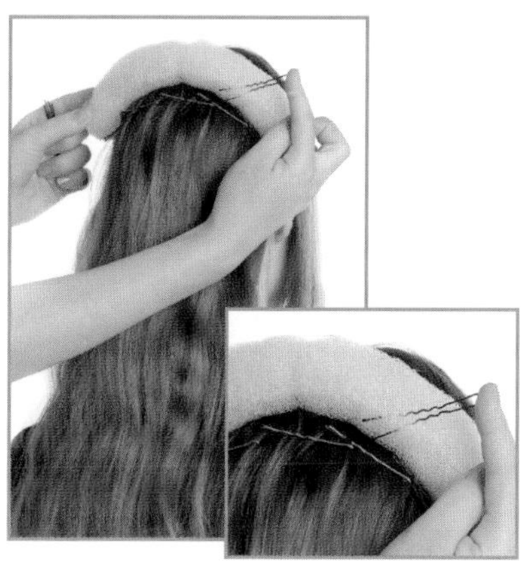

4 Таким образом закрепите валик в нескольких местах. Крепление должно быть надежным, чтобы при плетении валик оставался в фиксированном положении.

5 Ранее выделенные пряди волос положите на валик.

6 Оставьте при этом зону челки нетронутой, как показано на фото.

7 Выделите из зоны челки небольшую прядь волос. Разделите данную прядь на две равные части.

8 Далее используется техника плетения колоска с подхватом. Выделите из одной части волос прядь средней толщины.

9 Перекиньте ее на противоположную сторону (вторую прядь).

10 Аналогично поступите со второй стороной. Выделите из второй части волос небольшую прядь.

11 Перекиньте ее на противоположную сторону.

12 Таким образом заплетите всю зону челки. При этом не забывайте добавлять к ранее выделенной и перекинутой на противоположную сторону пряди дополнительные пряди по бокам с двух сторон.

13 Когда вплетены все волосы из зоны челки, плавно уводите косу в левую сторону. Оплетите валик на макушечной зоне с двух сторон.

СОВЕТ: Для того чтобы сделать плавный переход косы с зоны челки на макушечную зону, дополнительные пряди с двух сторон должны вплетаться практически под прямым углом.
Не забывайте вплетать в косу дополнительные пряди с двух сторон, для того чтобы плетение держалось крепко и не сползало вниз. Будьте аккуратны и терпеливы.

14 После того как вы заплели косу до конца, точно так же плавно уведите ее в правую сторону.

15 Аналогично делайте подхват дополнительных прядей сверху и снизу.

16 Когда дополнительные пряди с боков закончились, заплетите колосок без подхвата, каждый раз выделяя и перекидывая тонкие пряди из одной части волос на противоположную сторону. Аккуратно вытяните из косы боковые пряди, чтобы придать прическе объем.

СОВЕТ: Вытягивать пряди из косы следует аккуратно и желательно по ходу плетения. Не следует держать косу слишком туго, но и расслаблять ее тоже не стоит, чтобы не распалась. Найдите золотую середину. Насколько сильно стоит вытягивать пряди — зависит от ситуации. Если волосы не слишком длинные, да к тому же имеется градуированная стрижка, вытягивать сильно не советую, такая прическа долго не продержится. А прочность и надежность — важная составляющая любой прически.

17 После того как вы вытянули пряди из косы, заверните ее полукругом.

18 Зафиксируйте с внутренней стороны невидимками, подкорректируйте при необходимости шпильками.

19 После того как прическа будет готова, еще раз внимательно осмотрите ее со всех сторон. Если где-то имеются провалы, неровности или слишком явные выпуклости, исправьте их, вытянув пряди или, наоборот, немного их спрятав. Зафиксируйте полученный результат лаком.

Милая кокетка

*

Если вы по своей натуре кокетка, то этот вариант прически точно для вас!

В нем сочетается некая игривость и загадка. Любой, в чье поле зрения вы попадете, не сможет устоять перед вашей красотой и оригинальностью.

Обязательно возьмите себе на вооружение этот образ. К тому же создание его на себе не вызовет у вас трудностей. Немного практики, терпения, и у вас в руках окажется главное оружие женщины — ваша неземная красота...

1 Выделите прямым пробором зону челки, как показано на фото. Все остальные волосы соберите в высокий хвост сбоку.

2 Привяжите к основанию хвоста ленту из бус. Лента должна быть в два раза больше длины волос.

3 Разделите хвост на три равные части. Добавьте ленту как дополнительную прядь.

В ПРИЧЕСКЕ ИСПОЛЬЗОВАЛИСЬ:

- Шпильки, невидимки
- Маленькие силиконовые резинки
- Резинка с крючками
- Лента из бус
- Двойная плойка
- Гель-коктейль
- Лак

4 Итого у вас получается всего четыре пряди. Расположение прядей (отсчет идет справа налево): 1-я прядь, 2-я прядь, 3-я прядь (лента), 4-я прядь. Далее заплетите косу из четырех прядей с лентой (без подхвата) по схеме, которая расписана перед мастер-классами.

5 Аккуратно вытягиваем боковые пряди из косы. Вытягивать пряди желательно по ходу плетения косы.

6 Таким образом заплетите косу до конца и вытяните из нее боковые пряди.

7 Закрутите косу вокруг основания хвоста.

8 Зафиксируйте ее невидимками по кругу. Вытяните пряди из пучка, если это необходимо, чтобы пучок был со всех сторон равномерно объемный.

9 Разделите челку на несколько прядей. Накрутите каждую прядь на двойную плойку. Плойка может быть самой разной формы и диаметра. В зависимости от используемого варианта плойки результат тоже будет каждый раз иным.

10 Слегка начешите накрученные пряди у корня, сбрызните лаком с внутренней стороны начеса.

11 Часть волос с зоны челки уложите назад, как показано на фото, зафиксируйте концы невидимками с внутренней стороны.

12 Зафиксируйте волосы лаком.

13 После того как прическа будет готова, еще раз внимательно осмотрите ее со всех сторон.

14 Проверьте равномерность вытянутых прядей, при необходимости подкорректируйте прическу шпильками или невидимками.

Гармония и стиль *

Прическу из данного мастер-класса можно отнести как к вечернему, так и к свадебному варианту. Особенно если учесть, что делается она минут за тридцать (при определенном навыке), то такой прическе нет цены. Вы могли бы сделать ее себе самостоятельно, главное внимательно изучить все шаги.

1 Выделите в форме треугольника зону челки. Зафиксируйте зажимом.

2 Соберите все остальные волосы в хвост. Разделите хвост на две равные части.

3 Возьмите одну выделенную часть волос, разделите ее еще на две равные половинки. Выделите тонкую прядь с одного края, как показано на фото.

4 Перекиньте выделенную прядь на другую часть (противоположную сторону).

5 Выделите небольшую прядь волос с другой части и перекиньте ее на противоположную сторону (аналогично).

В ПРИЧЕСКЕ ИСПОЛЬЗОВАЛИСЬ:

- Шпильки, невидимки
- Зажимы для волос
- Маленькие силиконовые резинки
- Резинка с крючками
- Гель-коктейль
- Лак

6 Заплетите колосок, поочередно выделяя тонкую прядь то из одной части волос, то из другой и перекидывая ее каждый раз на противоположную сторону. Для придания косе объема вытяните с двух сторон боковые пряди. Вытягивать пряди желательно по ходу плетения.

7 Заплетите косу до конца, зафиксируйте резинкой и максимально ее вытяните, чтобы вам было легче делать следующий шаг.

8 Выделите из середины косы тонкую прядь, как показано на фото.

9 Потяните косу за ранее выделенную тонкую прядь. Коса должна собраться в гармошку до самого конца. Если коса плохо собирается в гармошку, значит либо вы выбрали не совсем удачную прядь, либо плохо расслабили косу при вытягивании.

10 Аналогично поступите и со второй прядью.

11 Заплетите колосок, вытяните боковые пряди.

12 Соберите косу в гармошку.

13 У вас должны получиться две объемные косы.

14 Возьмите одну из кос и уложите ее у основания хвоста. Зафиксируйте невидимками с внутренней стороны косы.

15 Уложите аналогично вторую косу. При этом следите, чтобы объемный пучок был равномерным со всех сторон.

16 Разделите тонкие пряди косы и слегка сбрызните лаком, чтобы придать прическе еще больше воздушности.

17 Освободите челку от зажима. Выделите небольшую прядь, как показано на фото.

18 Уложите выделенную прядь волной.

19 В случае если волосы длинные, вы можете спрятать кончик пряди, закрутив его на палец в виде кольца.

20 Уложите кончик среди остальных прядей и зафиксируйте невидимкой или шпилькой.

21 Остальную часть челки разделите еще на несколько частей и сделайте прикорневой начес.

22 Уложите, как показано на фото.

23 После того, как прическа будет готова, еще раз внимательно осмотрите ее со всех сторон.

24 Проверьте равномерность вытянутых прядей, при необходимости подкорректируйте прическу шпильками или невидимками. Зафиксируйте лаком.

Неподражаемый шарм

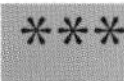

Сложно устоять перед обаянием такой очаровательной героини. Секрет прост: искренность в глазах, улыбка на устах и, конечно, прическа, которая в очередной раз подчеркнет истинную красоту и придаст образу еще больше шарма.

С такой прической вы выделитесь из толпы на любом мероприятии, будь то вечеринка, свидание, свадьба, день рождения и т.д.

Сделать данный образ на себе самостоятельно можно, но потребуется много усилий, терпения и, конечно же, ваших стараний. Поверьте, все ваши усилия того стоят.

В ПРИЧЕСКЕ ИСПОЛЬЗОВАЛИСЬ:

- **Шпильки, невидимки**
- **Зажимы для волос**
- **Маленькие силиконовые резинки**
- **Резинка с крючками**
- **Гель-коктейль**
- **Лак**

1 Наденьте ободок, как показано на фото, разделив волосы горизонтальным пробором, тем самым вы спрячете резинку от ободка.

2 Выделите сверху и снизу по тонкой пряди, как показано на фото.

3 Перекиньте нижнюю прядь на верхнюю прядь.

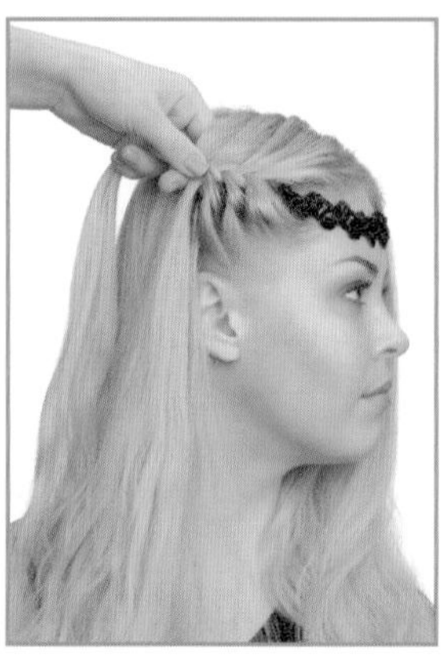

4 Выделите тонкую прядь сверху и перекиньте ее на противоположную сторону.

5 С данного момента все шаги по технике плетения будут повторяться. Более подробно схему плетения колоска с подхватом смотреть выше, перед мастер-классами.

6 Вот так выглядят первые шаги плетения «колосок».

7 Аккуратно вытяните боковые пряди из косы для придания прическе объема и еще большей рельефности.

8 Когда дополнительные пряди с боков закончились, заплетите колосок без подхвата, поочередно выделяя тонкие пряди и перекидывая их на противоположную сторону.

9 Не забывайте по ходу плетения вытягивать боковые пряди из косы.

10 Перейдите на вторую сторону, выделите две пряди, перекиньте одну прядь на другую, как показано на фото.

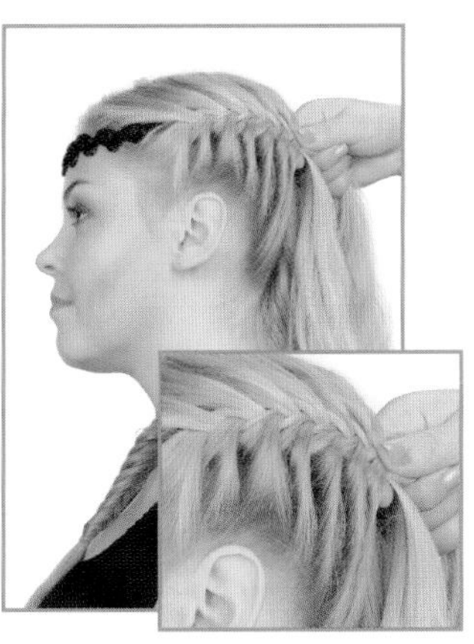

11 Далее повторите все те шаги, которые делали ранее на другой стороне.

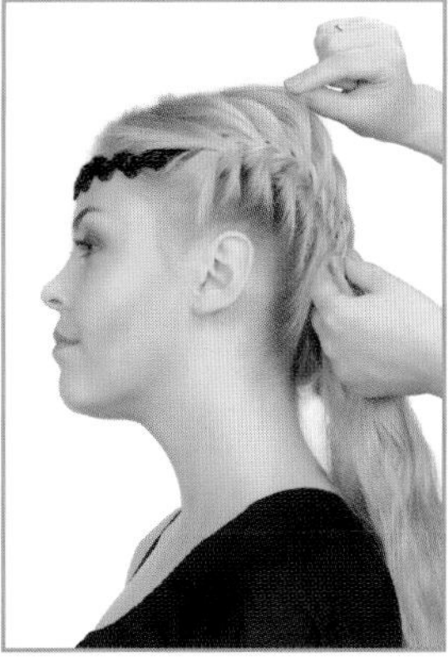

12 Равномерно вытяните боковые пряди. Старайтесь, чтобы две стороны были одинаково вытянуты.

13 В итоге у вас должны получиться вот такие две замечательные косы.

14 Для того чтобы достичь объема по бокам, приподнимите косу сбоку и закрепите ее невидимкой в таком положении с внутренней стороны. То же самое проделайте и с другой стороны.

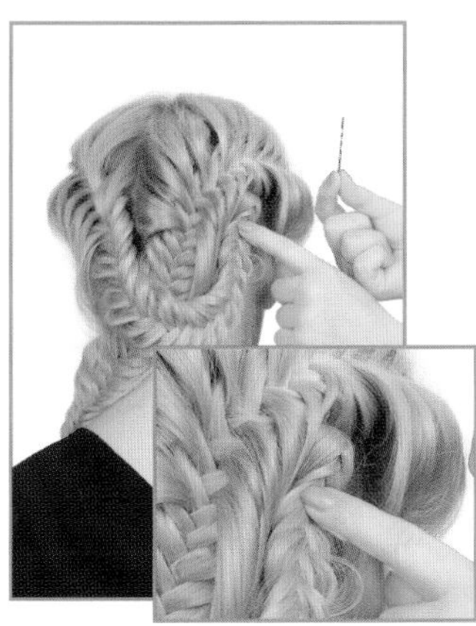

15 Уложите концы косы, как показано на фото. Зафиксируйте невидимками с внутренней стороны.

16 Вариантов укладки косы множество, вы можете уложить ее в объемный пучок, создать цветок... Все зависит от вашей фантазии.

17 После того как прическа будет готова, еще раз внимательно осмотрите ее со всех сторон. Проверьте равномерность вытянутых прядей, при необходимости подкорректируйте прическу шпильками или невидимками. Зафиксируйте лаком.

Е. Колпакова

Нежность и воздушность

Героиня данного мастер-класса нежна, прелестна и скромна, и созданный для нее образ как нельзя лучше подчеркивает эти качества.

Этот вариант прически подходит как для романтического свидания, так и для другого события. Важно учесть, как вы оденетесь под данный образ. Если это будет что-то классическое, то образ вполне подходит для офиса, если, как в данном варианте, платье, то будет вполне уместно для вечеринки, ну а если немного вытянуть пряди из косы и добавить легкий налет небрежности, то вам смело можно отправляться с такой прической в клуб.

Прическа достаточно проста в исполнении, и вы с легкостью создадите ее на себе, приложив для этого немного усилий и старания.

В ПРИЧЕСКЕ ИСПОЛЬЗОВАЛИСЬ:

Невидимки

Зажимы для волос

Маленькие силиконовые резинки

Гель-коктейль

Лак

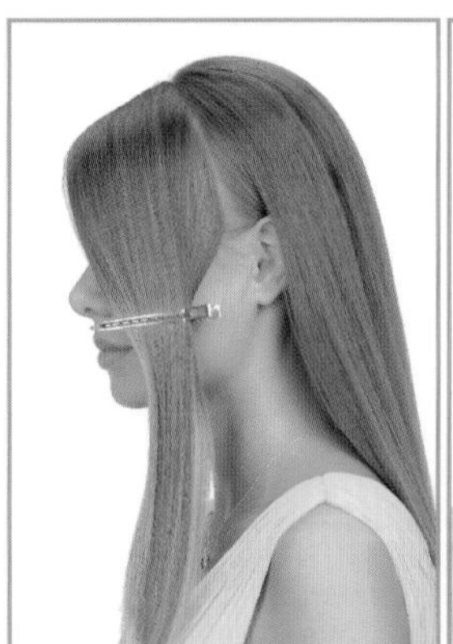

1 Выделите зону челки, как показано на фото. Зафиксируйте зажимом. Остальные волосы зачешите назад.

2 Выделите из зоны челки небольшую прядь волос.

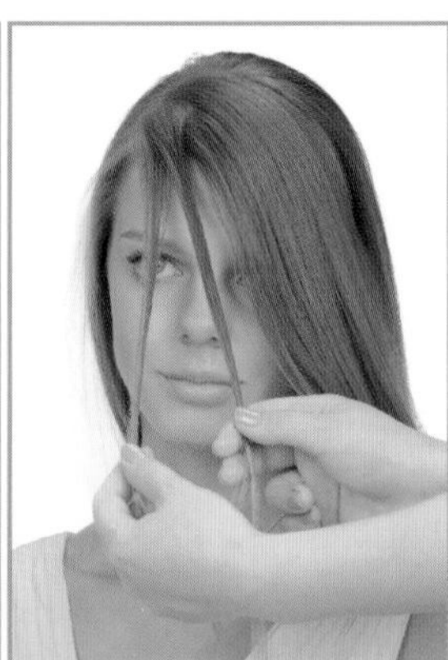

3 Разделите прядь на две равные части.

4 Перекиньте верхнюю прядь на нижнюю прядь.

5 Выделите сверху из зоны челки небольшую прядь.

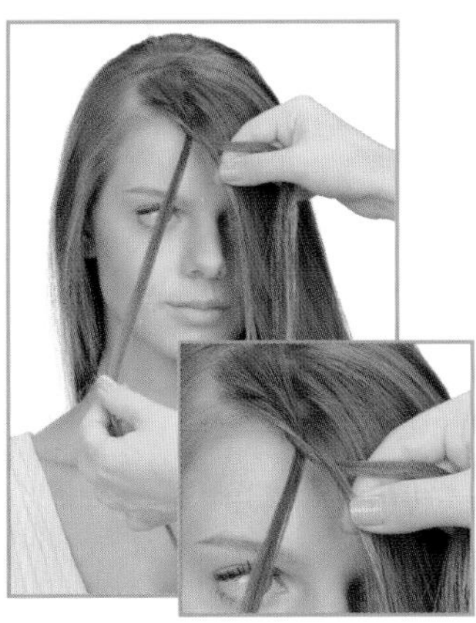

6 Вложите ее между двумя скрещенными прядями.

7 Заплетите таким образом все волосы с зоны челки.

8 Зафиксируйте конец пряди силиконовой резинкой, чтобы плетение не распалось.

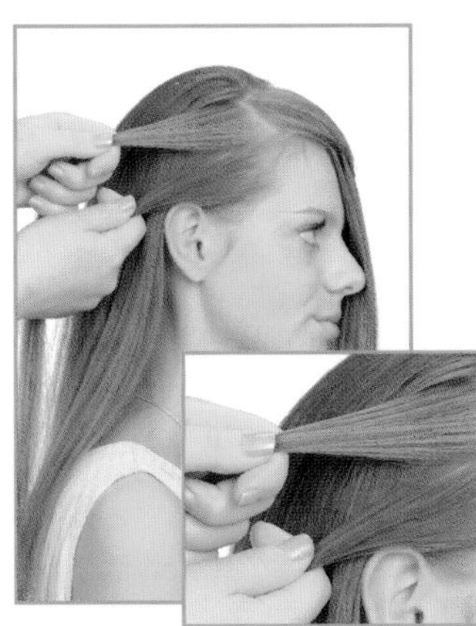

9 Выделите прядь у височной зоны. Разделите ее на две равные части.

10 Выделите из одной части волос тонкую прядь.

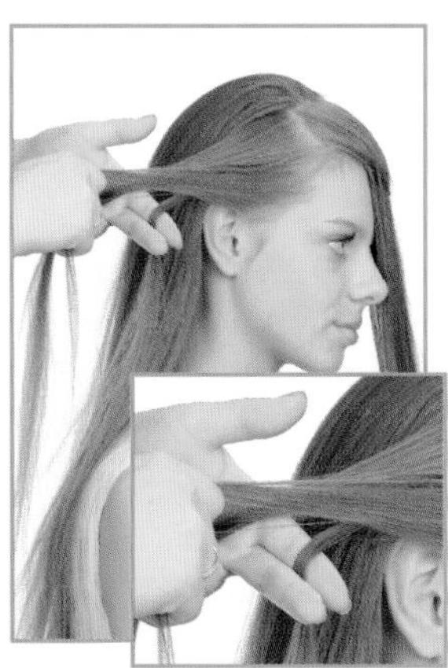

11 Перекиньте ее на противоположную сторону.

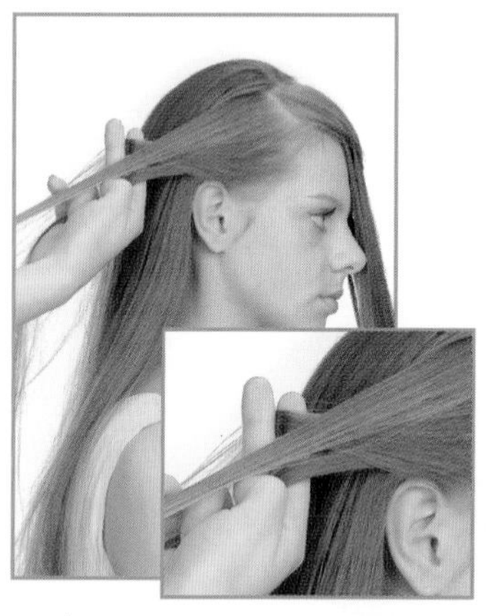

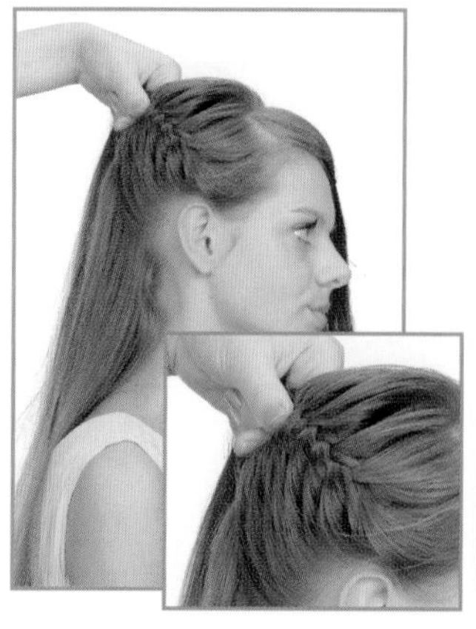

12 Выделите с другой части тонкую прядь и тоже перекиньте ее на противоположную сторону.

13 Таким образом заплетите все волосы на затылочной зоне, поочередно выделяя тонкие пряди и перекидывая их на противоположную сторону. Более подробно схему плетения колоска с подхватом смотрите выше, перед мастер-классами.

14 Не забывайте по ходу плетения добавлять к крайним прядям дополнительные пряди сверху и снизу.

15 Вытяните боковые пряди из косы для придания объема на макушечной зоне.

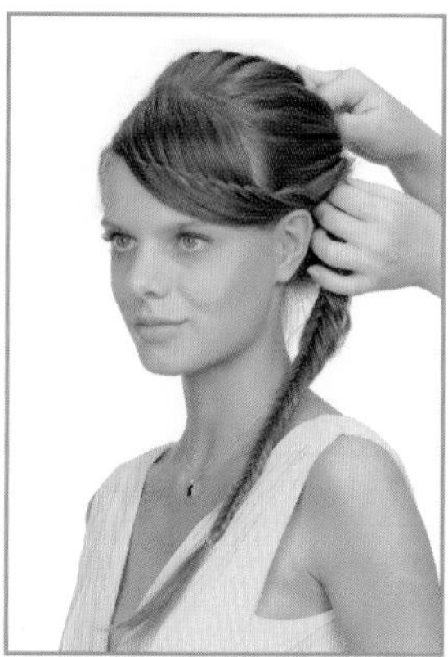

16 Когда дополнительные пряди с боков закончились, заплетите колосок без подхвата, поочередно выделяя тонкие пряди и перекидывая их на противоположную сторону.

17 Не забывайте по ходу плетения вытягивать боковые пряди.

18 Уложите конец челки под косу, как показано на фото. Зафиксируйте невидимками.

19 После того как прическа будет готова, еще раз внимательно осмотрите ее со всех сторон. Проверьте равномерность вытянутых прядей, при необходимости подкорректируйте прическу шпильками или невидимками. Зафиксируйте лаком.

Волшебство женственности

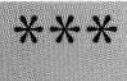

Совокупность в каждой модели ее внешних данных, ее внутреннего мира и настроения помогает мастеру определиться с правильным образом. Сложно сотворить что-то безобразное, когда героиня вызывает такие ассоциации, как нежность, хрупкость, искренность, верность, одним словом — женственность.

Данный вариант прически следует отнести к сложному по созданию, и здесь вам точно не обойтись без помощи талантливых подруг или стилиста.

1 Выделите зону челки в виде треугольника. Зафиксируйте зажимом.

2 Остальные волосы соберите в высокий хвост.

В ПРИЧЕСКЕ ИСПОЛЬЗОВАЛИСЬ:

- **Невидимки, шпильки**
- **Зажимы для волос**
- **Маленькие силиконовые резинки**
- **Резинка с крючками**
- **Валик прямоугольный формы**
- **Гель-коктейль**
- **Лак**

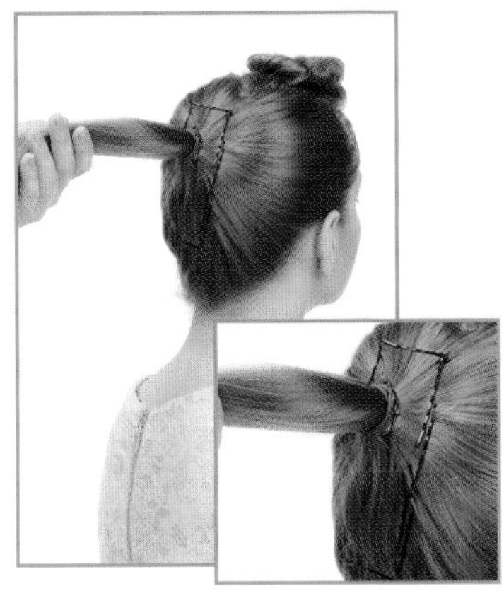

3 Сделайте вокруг хвоста основание из невидимок для крепления валика, как показано на фото. Крепление из невидимок необходимо делать, ориентируясь на форму и размер валика.

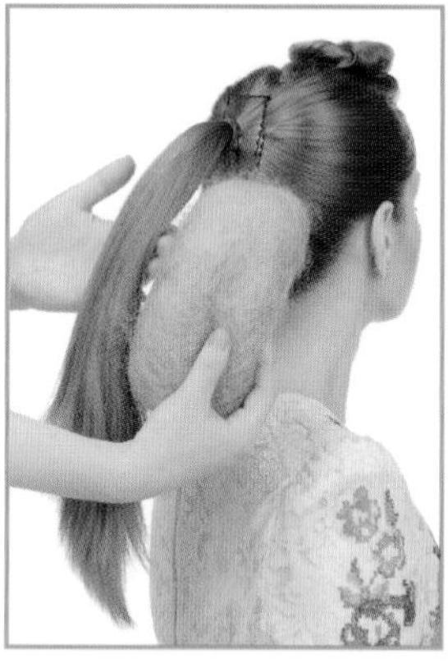

4 Приготовьте валик прямоугольной формы, как показано на фото. Цвет валика желательно подбирать под цвет волос.

5 Обмотайте валик прядями из хвоста, как показано на фото. По мере обматывания, распределяйте волосы по всей ширине валика, чтобы его скрыть.

6 Разверните валик боком и уложите его на основание из невидимок.

7 Зафиксируйте с двух сторон шпильками, используя невидимки, как базу для крепления.

8 Освободите челку от зажима.

9 Выделите небольшую прядь.

10 Заплетите колосок с подхватом, поочередно выделяя и перекидывая прядь из одной части волос на противоположную сторону. Не забывайте добавлять к крайним прядям дополнительные пряди с боков (смотрите схему плетения «колосок» с подхватом перед мастер-классами).

11 Аккуратно вытяните из косы боковые пряди.

12 Сформируйте цветок из косы и уложите его на валик, как показано на фото. Зафиксируйте невидимками или шпильками.

13 После того как прическа будет готова, еще раз внимательно осмотрите ее со всех сторон. Проверьте равномерность вытянутых прядей, при необходимости подкорректируйте прическу шпильками или невидимками. Зафиксируйте лаком.

Озорная беспечность

Данный вариант прически очень прост в исполнении. Уверена, что каждая из нас хоть раз в жизни плела на себе, своих близких или знакомых простые трехпрядные косички. Этот вариант, по сути, то же самое, только в данном случае мы придали прическе праздничность за счет объема и вытянутых ажурных кос.

Из простой и самой обычной на первый взгляд прически получился достаточно праздничный вариант, с которым можно с легкостью пойти в клуб, на день рождения, свадьбу и т.д. А если закрутить кончики косы в цветок или пучок, получится оригинальный вечерний вариант прически. Будьте индивидуальны и оригинальны во всем.

В ПРИЧЕСКЕ ИСПОЛЬЗОВАЛИСЬ:

- **Невидимки**
- **Маленькие силиконовые резинки**
- **Гель-коктейль**
- **Лак**

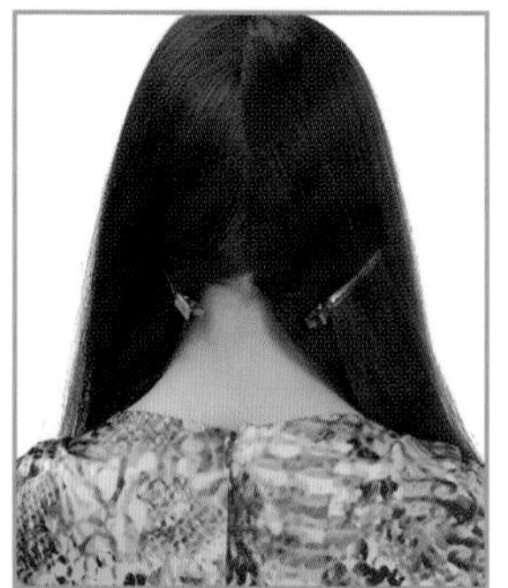

1 Разделите волосы пробором, как показано на фото.

2 Выделите сбоку, примерно по центру небольшую прядь волос.

3 Разделите выделенную прядь на три равные части.

4 Заплетите обычную косу из трех прядей, при этом не забывайте добавлять к крайним прядям дополнительные пряди сбоку.

5 Аккуратно вытяните боковые и внутренние пряди из косы, при этом старайтесь держать косу туго, чтобы при вытягивании прядей она не распалась.

6 Когда дополнительные пряди с боков закончились, заплетите простую косу без подхвата.

7 Вытяните из косы боковые пряди.

8 Приподнимите косу, как показано на фото, для создания объема на макушечной и височной зоне. Зафиксируйте невидимками с внутренней стороны косы в нескольких местах.

9 Вытяните боковые пряди из косы, как показано на фото.

10 Вытяните боковые пряди из косы, как показано на фото.

11 Заплетите аналогично вторую сторону.

12 Вытяните боковые и внутренние пряди из косы.

13 Приподнимите косу до нужного объема.

14 Зафиксируйте ее невидимками с внутренней стороны в нескольких местах.

15 После того как прическа будет готова, еще раз внимательно осмотрите ее со всех сторон.

16 Проверьте равномерность вытянутых прядей, при необходимости подкорректируйте прическу шпильками или невидимками. Зафиксируйте лаком.

Дерзость и очарование

Сияние, теплый свет, открытый взгляд, который исходит от героини, делает ее такой притягательной... И в этом есть заслуга прически, которая на глазах меняет людей, меняет их ощущения, настроение.

Данный вариант прически можно отнести как к вечернему, так и свадебному.

Сотворить такую красоту на себе вполне реально, а на первый взгляд, кажется, наверное, невозможным. Не стоит расстраиваться и опускать руки, если что-то у вас не выходит. С первого раза редко у кого-то что-то получается. Это искусство, и ему нужно учиться, тем более, когда на кону ваша красота и неповторимость!

В ПРИЧЕСКЕ ИСПОЛЬЗОВАЛИСЬ:

- **Невидимки, шпильки**
- **Маленькие силиконовые резинки**
- **Резинка с крючками**
- **Плойка**
- **Гель-коктейль**
- **Лак**

1 Выделите зону челки, как показано на фото. Остальные волосы соберите в высокий хвост. Волосы на хвосте слегка накрутите.

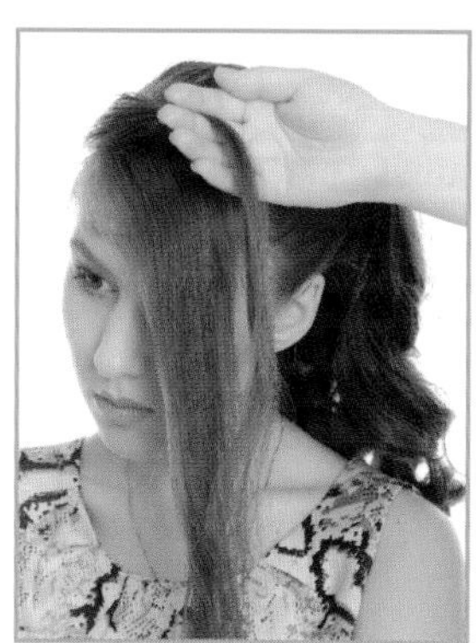

2 Выделите из зоны челки небольшую прядь волос.

3 Разделите ее на пять равных частей.

4 Заплетите внешний вариант косы из пяти прядей (смотрите схему плетения из пяти прядей с подхватом во внешнем исполнении).

5 Вытяните боковые пряди из косы для придания объема.

6 Выделите небольшую прядь из хвоста, слегка закрутите ее в жгутик и вытяните из жгута пряди, как показано на фото.

7 Уложите объемную прядь чуть выше хвоста.

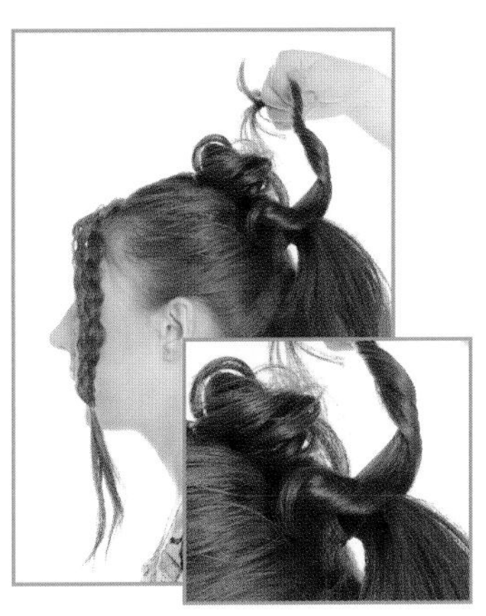

8 Зафиксируйте невидимками с внутренней стороны.

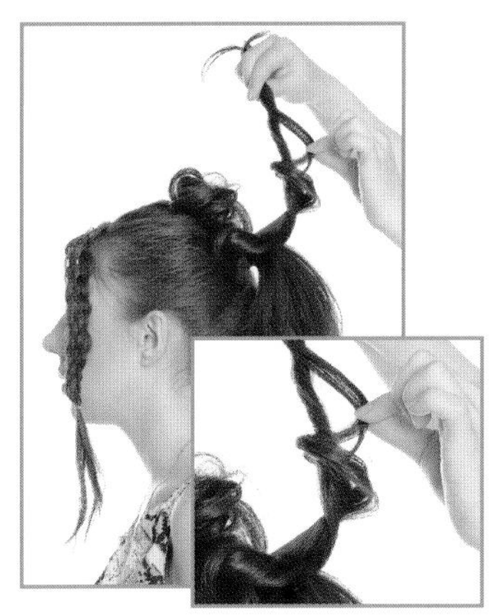

9 Аналогично поступите со всеми остальными прядями.

10 Старайтесь укладывать пряди равномерно вокруг основания хвоста, чтобы объем был одинаковый со всех сторон.

11 Уложите конец косы под объемный пучок. Зафиксируйте невидимкой.
После того как прическа будет готова, еще раз внимательно осмотрите ее со всех сторон. Проверьте равномерность вытянутых прядей, при необходимости подкорректируйте прическу шпильками или невидимками. Зафиксируйте лаком.

Лучезарная безмятежность

Героиня данного мастер-класса полна очарования, блеска и сияния! Ее образ достаточно легкий и естественный, а улыбка очень тонко подчеркивает ее красоту.

Жгуты, используемые в данной прическе, незаменимая вещь, особенно если вы обладательница волнистых волос. Вы всегда сможете в два счета самостоятельно создать себе такую прическу. Достаточно освоить технику плетения и дать волю своей фантазии.

Варианты причесок со жгутами актуальны для самых разных мероприятий. Все зависит от того, как вы их уложите и насколько сильно вы их вытянете. Одним словом, все в ваших руках, творите, творите и еще раз творите!

В ПРИЧЕСКЕ ИСПОЛЬЗОВАЛИСЬ:

- **Невидимки**
- **Маленькие силиконовые резинки**
- **Гель-коктейль**
- **Лак**

1 Выделите зону челки в форме треугольника. Зафиксируйте для удобства зажимом.

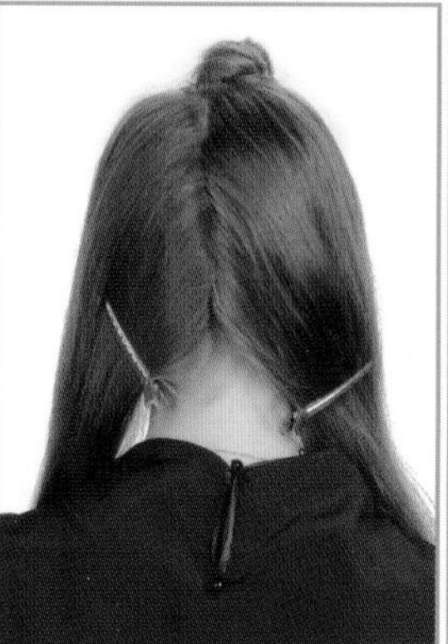

2 Остальные волосы разделите ровным пробором на две части.

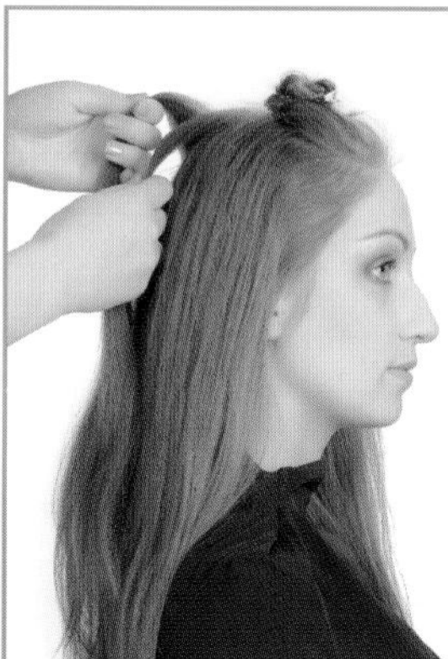

3 Выделите у самого края пробора две небольшие пряди, как показано на фото.

4 Скрутите обе пряди в жгутик. Скручивать обе пряди необходимо в одну сторону. В данном случае каждая прядь была скручена в правую сторону.

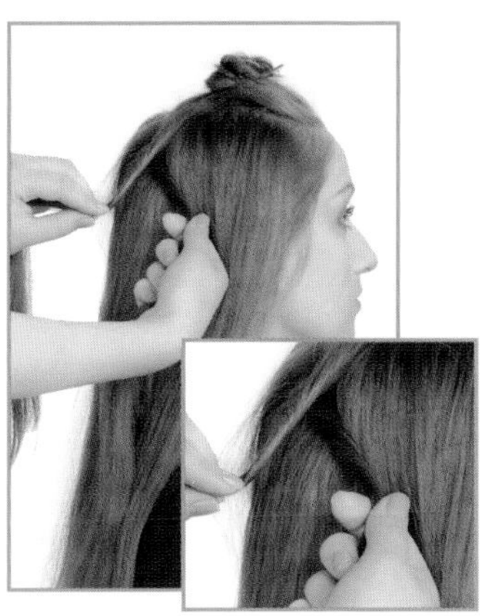

5 Перекрестите их между собой, но уже в противоположную сторону, как показано на фото. Т.е., если две пряди были скручены в жгутик в правую сторону, то между собой их нужно скручивать в левую сторону.

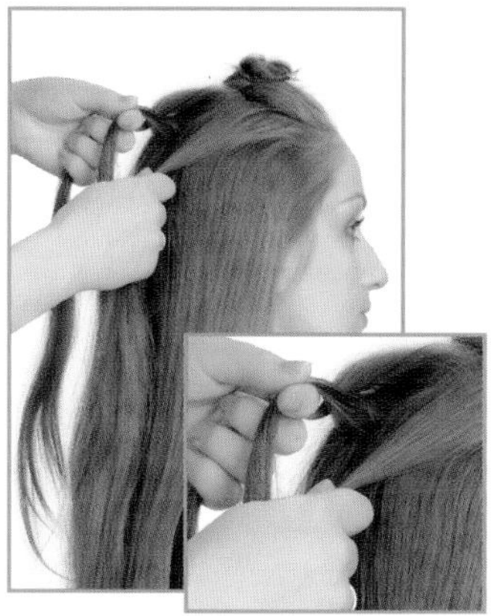

6 Добавьте к крайней правой пряди, скрученной в жгутик, дополнительную прядь сбоку, как показано на фото.

7 Соедините их между собой, перекрутите вправо, а между собой две пряди влево.

8 Вот так выглядят первые три скрученные в жгутик пряди. Старайтесь, чтобы плетение было расположено близко к пробору.

9 Равномерно вытяните пряди из жгутов, как показано на фото.

10 Когда боковые пряди закончились, заплетите простую косу — жгутик без подхвата. Для этого вам точно так же необходимо скручивать каждую прядь сначала в одну сторону, а скрещивать их между собой в противоположную сторону.

11 Равномерно вытяните из жгута пряди.

СОВЕТ: Старайтесь скручивать пряди потуже, т.к. при слабом скручивании они могут немного раскрутиться и эффект уже будет иным.

12 Приподнимите косу-жгутик для придания объема, как показано на фото. Зафиксируйте ее в таком положении невидимками с внутренней стороны в нескольких местах.

13 Перейдите на вторую сторону. Аналогично выделите у края пробора небольшую прядь волос, разделите ее на две части.

14 Выполните все те же шаги, что были сделаны на правой стороне.

15 Не забывайте по ходу плетения вытягивать пряди из косы.

16 Для равномерности прически вытяните пряди сбоку с обеих сторон, как показано на фото.

17 Соедините два жгута между собой невидимками или шпильками в нескольких местах. Вы можете в конце соединить два жгута одной резинкой и оставить в таком положении, а можете поступить иначе, как показано в следующем пункте мастер-класса.

18 Соедините концы жгутов одной резинкой. Выделите тонкую прядь и потяните за нее, чтобы жгут собрался гармошкой, как показано на фото. Конец косы накрутите на плойку.

19 Освободите челку от зажима. Накрутите ее на плойку.

20 Разделите челку на две пряди и сделайте прикорневой начес, как показано на фото.

21 После того как прическа будет готова, еще раз внимательно осмотрите ее со всех сторон. Проверьте равномерность вытянутых прядей, при необходимости подкорректируйте прическу шпильками или невидимками. Зафиксируйте лаком.

Е. Колпакова

Сокровенные чувства

Очень часто возникают сложности с укладкой челки. Всегда хочется придумать что-то оригинальное и неповторимое. К сожалению, вариантов не так много, но в данном мастер-классе я хочу поделиться с вами одной из таких идей.
Челка, оформленная с помощью плетения «колосок», всегда выглядит эффектно и необычно. О том, как это сделать, вы можете ознакомиться уже сейчас, изучив мой мастер-класс.

В ПРИЧЕСКЕ ИСПОЛЬЗОВАЛИСЬ:

- **Невидимки, шпильки**
- **Маленькие силиконовые резинки**
- **Плойка**
- **Гель-коктейль**
- **Лак**

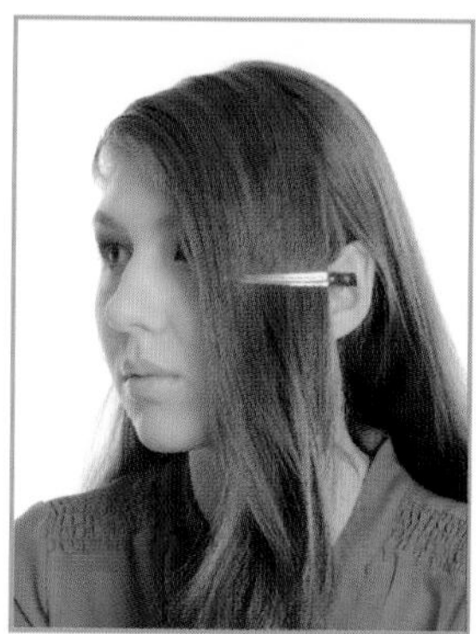

1 Выделите зону челки, как показано на фото.

2 Выделите небольшую прядь волос из зоны челки.

3 Разделите ранее выделенную прядь на две части.

4 Выделите из одной части тонкую прядь, перекиньте ее на противоположную сторону.

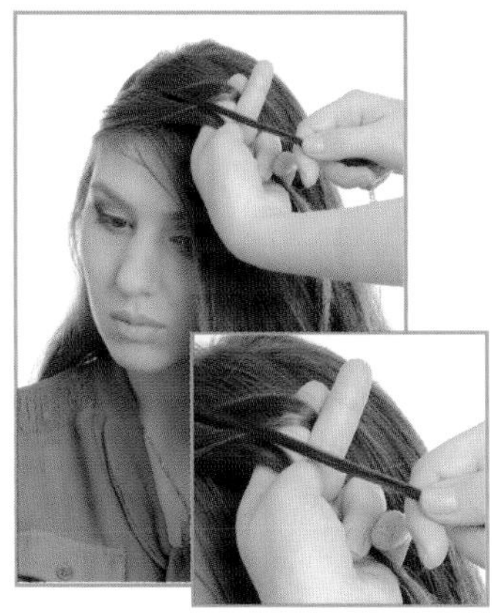

5 Аналогично поступите и со второй частью волос: выделите из второй части тонкую прядь, перекиньте ее на противоположную сторону. Более подробно схему плетения колоска без подхвата смотрите выше, перед мастер-классами.

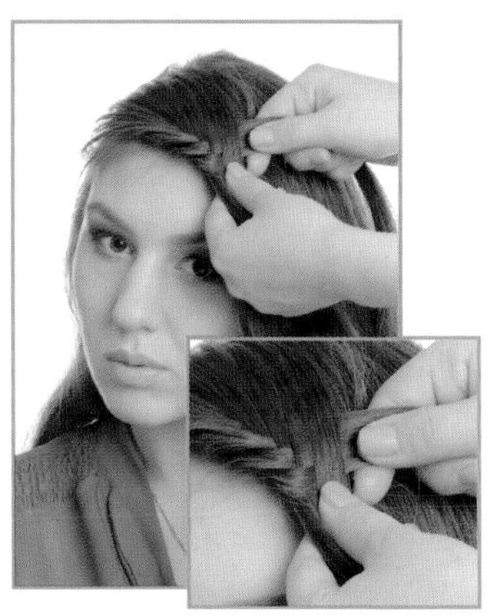

6 Так выглядит колосок без подхвата, т.е. без дополнительных прядей сбоку.

7 Заплетите косу до конца.

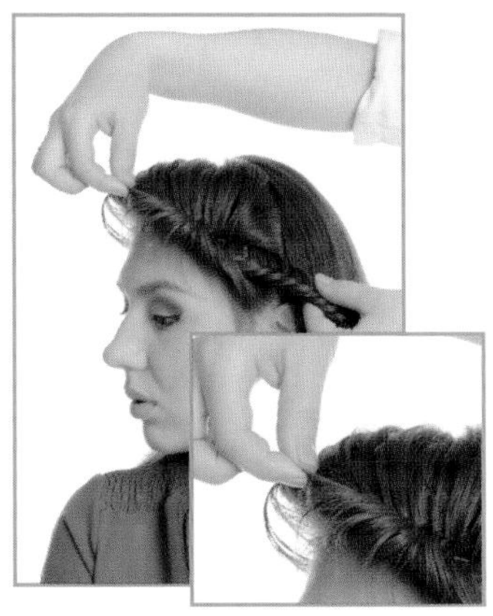

8 Вытяните боковые пряди из косы для придания прическе объема.

9 Все остальные волосы слегка накрутите на плойку. Уложите их на одну сторону, как показано на фото.

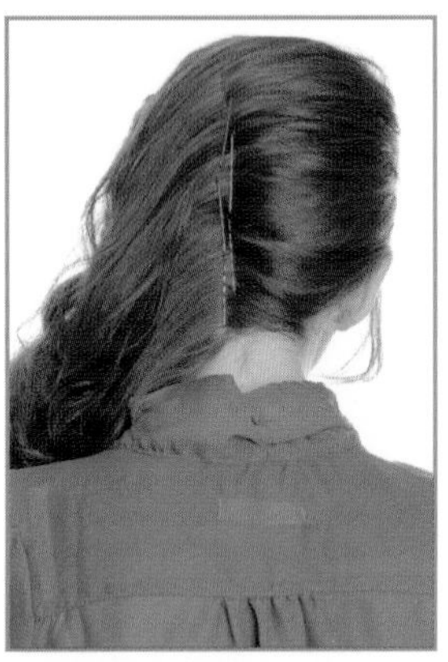

10 Сделайте крепление из невидимок, как показано на фото.

11 Выделите небольшую прядь около крепления, скрутите ее в произвольную форму.

12 Зафиксируйте прядь шпилькой, используя ранее подготовленную базу из невидимок.

13 Вытяните из косы пряди с одной стороны, как показано на фото. Уложите косу полукругом.

14 Зафиксируйте с внутренней стороны невидимками. В конце зафиксируйте лаком.

Таинственная незнакомка *

Тайна нашей героини каким-то, слегка магическим, образом притягивает и в то же время держит на расстоянии вытянутой руки. Здесь мы видим неприступность и едва уловимый намек на флирт. Примерьте на себя этот образ и почувствуйте себя в такой неоднозначной роли.

Прическа проста в создании, и вы с легкостью освоите данную технику плетения, изучив подробно мастер-класс.

Куда пойти в этом образе, я думаю, каждый сам решит для себя. Он универсальный и подойдет к большому списку различных мероприятий.

В ПРИЧЕСКЕ ИСПОЛЬЗОВАЛИСЬ:

Шпильки, невидимки

Маленькие силиконовые резинки

Гель-коктейль

Лак

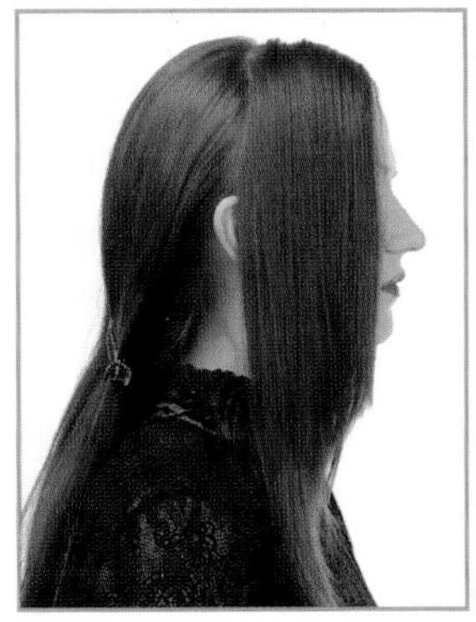

1 Отделите прямым пробором зону челки, как показано на фото.

2 Выделите из зоны челки небольшую прядь волос.

3 Разделите прядь на пять равных частей.

4 Далее смотрите схему плетения косы из 5-ти прядей с подхватом во внешнем исполнении перед мастер-классами.

5 По мере плетения не забывайте вытягивать боковые пряди для придания прическе объема.

СОВЕТ: Если вы еще не научились плести туго, то я вам не советую вытягивать пряди по мере плетения, т.к. прическа может максимально расслабиться и в итоге развалиться. Лучше вытянуть в конце, начиная снизу.

6 После того как вы заплели зону челки, продолжайте плести косу и дальше по правому краю, подтягивая остальные пряди на правую сторону, как показано на фото.

7 Аккуратно вытяните боковые пряди из косы.

8 Обратите внимание, что при плетении я косу слегка оттягиваю. Это делается для того, чтобы прическа получилась более свободной. Если вам такой эффект не нужен, плетите туго по голове.

9 Приподнимите немного косу, как показано на фото.

10 Закрепите ее невидимкой с внутренней стороны, чтобы зафиксировать в этом положении.

11 Повторите предыдущий шаг, но уже чуть ниже.

12 Закрутите конец косы. Зафиксируйте невидимками по кругу.

13 После того как прическа будет готова, еще раз внимательно осмотрите ее со всех сторон. Проверьте равномерность вытянутых прядей, при необходимости подкорректируйте прическу шпильками или невидимками. Зафиксируйте лаком.

Огонь юности

Очень нежный вариант прически для юного и милого создания. Идеально подходит как для школьных, так и выпускных вечеров. Но все же четко ограничивать прическу по возрасту, на мой взгляд, не стоит. Возможно, если сделать этот же вариант прически на девушке чуть старше, то это будет только в плюс, т.к. удачно подобранная прическа вполне может придать молодость и свежесть любой даме.
Сделать такой вариант прически себе самостоятельно вполне возможно. Я уверена, что у вас все получится, если не с первого раза, то со второго...

В ПРИЧЕСКЕ ИСПОЛЬЗОВАЛИСЬ:

- Невидимки, шпильки
- Зажимы для волос
- Маленькие силиконовые резинки
- Резинка с крючками
- Гель-коктейль
- Лак

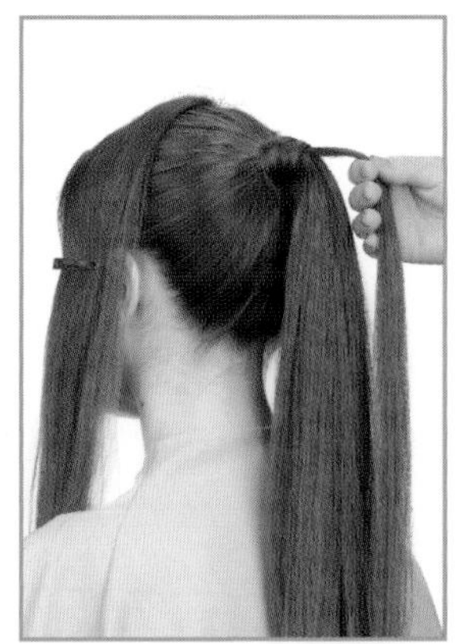

1 Выделите зону челки косым пробором. Остальные волосы соберите в хвост, зафиксируйте резинкой. Обмотайте прядью резинку. Выделите из хвоста тонкую прядь.

2 Разделите прядь на три равные части.

3 Начните плести обычную косу из трех прядей.

4 По мере плетения постепенно добавляйте к крайним прядям дополнительные пряди из хвоста.

5 Так выглядит коса на начальном этапе плетения.

6 Таким образом заплетите косу до конца.

7 Приподнимите косу за самую верхнюю часть у основания хвоста.

8 Зафиксируйте косу у основания хвоста в таком положении, используя невидимки или шпильки.

9 Переверните косу немного вбок, как показано на фото. Зафиксируйте с внутренней стороны в нескольких местах невидимками или шпильками.

10 Конец косы спрячьте внутрь, зафиксируйте невидимкой.

11 Уложите челку волной, как показано на фото.

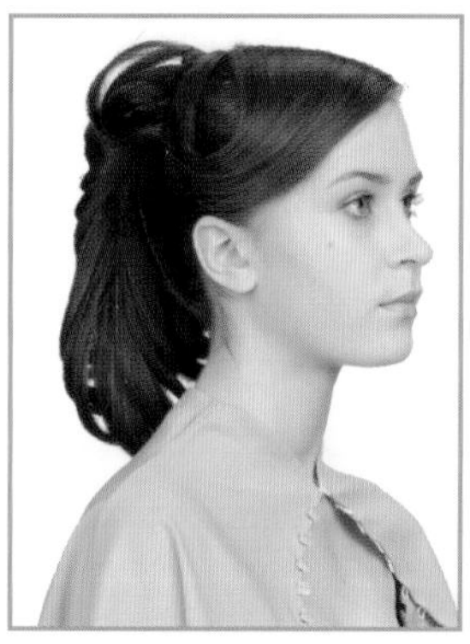

12 После того как прическа будет готова, еще раз внимательно осмотрите ее со всех сторон.

13 Проверьте равномерность вытянутых прядей, при необходимости подкорректируйте прическу шпильками или невидимками. Зафиксируйте лаком.

Томное влечение

***

Данный вариант прически, как, впрочем, и другие прически, носит неоднозначный характер. Такая прическа актуальна как для легкого вечернего, романтического, так и для повседневного варианта ношения.

Существует очень много мелочей, которые могут легко изменить направленность прически. Одна и та же прическа, выполненная в тугом и более расслабленном варианте, будет смотреться по-разному.

Сложность в выполнении этой прически на себе заключается в количестве прядей. Как поместить все пять прядей в руке и не запутаться при плетении? Сразу хочу сказать, что научиться создавать такую красоту на себе возможно, и когда вы всему научитесь, вам будет казаться, что это даже легко. Главный совет: попрактиковаться все же изначально на ком-то, чтобы до автоматизма отточить свое мастерство, а потом уже пробовать и на себе.

В ПРИЧЕСКЕ ИСПОЛЬЗОВАЛИСЬ:

- **Невидимки**
- **Маленькие силиконовые резинки**
- **Плойка**
- **Гель-коктейль**
- **Лак**

1 Выделите зону челки, как показано на фото. Остальные волосы зачешите назад.

2 Выделите по центру небольшую прядь волос.

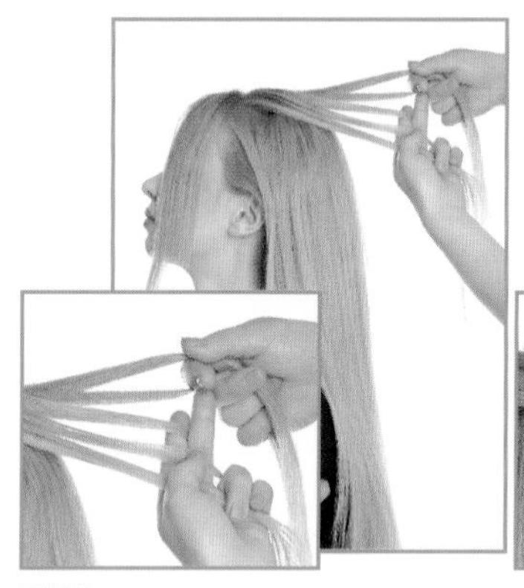

3 Разделите ее на пяти равных частей.

4 Далее смотрите схему плетения косы из пяти прядей во внутреннем исполнении.

5 Для создания объема по бокам держите косу при плетении на весу, как показано на фото.

6 Вот так выглядит коса при плетении на весу, а не по голове.

7 Подкорректируйте боковые пряди, если они неравномерно вытянуты или для придания еще большего объема по бокам.

8 Немного вытяните боковые пряди из самой косы.

9 Накрутите челку, как показано на фото.

10 Уложите ее волной, зафиксируйте невидимкой.

11 После того как прическа будет готова, еще раз внимательно осмотрите ее со всех сторон. Проверьте равномерность вытянутых прядей, при необходимости подкорректируйте прическу шпильками или невидимками. Зафиксируйте лаком. Косу можно сделать еще объемней и ажурней, вытянув боковые пряди.

Шикарная элегантность

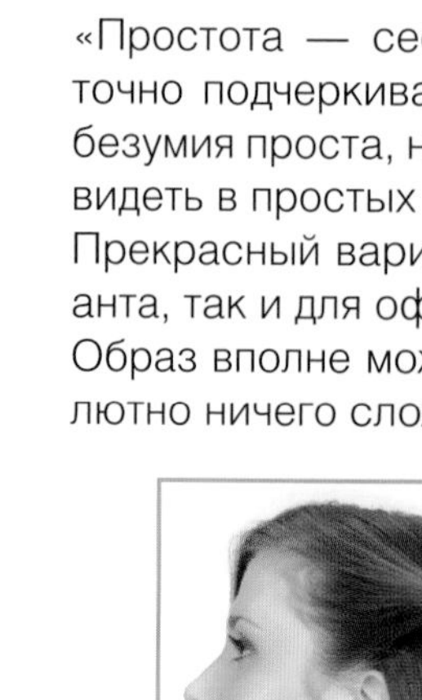

«Простота — сестра элегантности». Данное выражение очень точно подчеркивает образ данного мастер-класса. Прическа до безумия проста, но в то же время очень красива. Важно научиться видеть в простых вещах — сложное, а в сложных — простое.

Прекрасный вариант прически как для строгого вечернего варианта, так и для офисного стиля.

Образ вполне можно самостоятельно создать на себе. Нет абсолютно ничего сложного, нужна только практика и терпение.

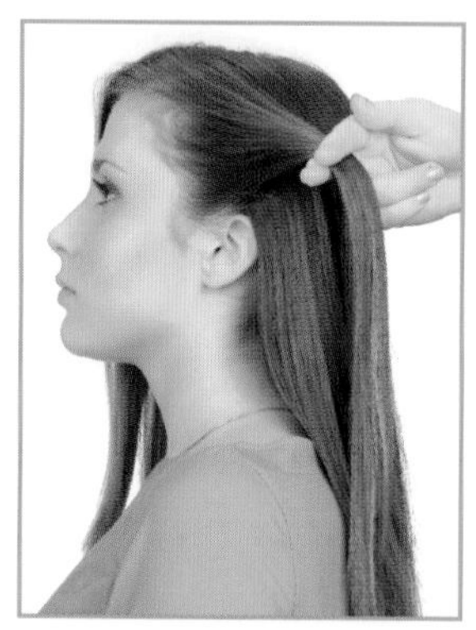

1 Выделите косым пробором зону челки. Выделите с другой стороны у височной зоны небольшую прядь волос.

2 Разделите выделенную прядь на три равные части.

3 Далее заплетите внешний вариант простой косы из трех прядей, сверяясь со схемой плетения перед мастер-классами.

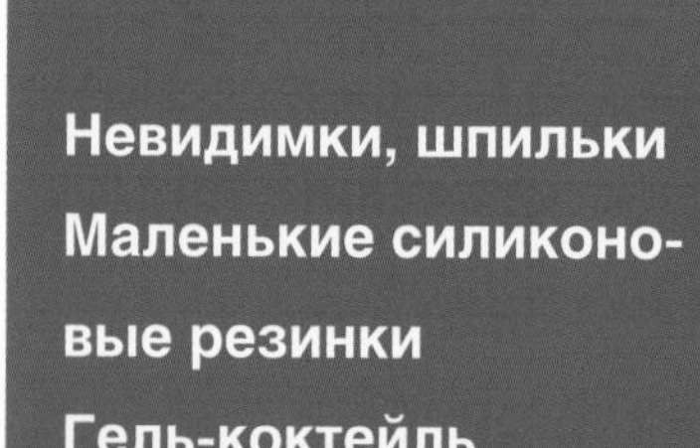

В ПРИЧЕСКЕ ИСПОЛЬЗОВАЛИСЬ:

- Невидимки, шпильки
- Маленькие силиконовые резинки
- Гель-коктейль
- Лак

4 К крайним прядям с двух сторон необходимо каждый раз при плетении добавлять дополнительные пряди с боков.

5 Для придания косе объема аккуратно вытяните пряди из косы.

6 Заплетите косу до конца.

7 Уложите конец косы, как показано на фото. Зафиксируйте невидимками или шпильками.

8 Уложите челку под косу.

9 Конец челки зафиксируйте невидимками.

10 После того как прическа будет готова, еще раз внимательно осмотрите ее со всех сторон. Проверьте равномерность вытянутых прядей, при необходимости подкорректируйте прическу шпильками или невидимками. Зафиксируйте лаком.

Неординарность и свежесть 

Идеальный вариант прически для похода в клуб. Прическа в клуб должна выглядеть естественно, максимально удобно, модно, стильно и, конечно же, выражать вашу индивидуальность. Прическа с плетением «колосок», с эффектом легкой небрежности и растрепанности, не только выделит вас из толпы, но и придаст вам уверенности. Такой вариант прически можно сделать себе самостоятельно за считанные минуты.

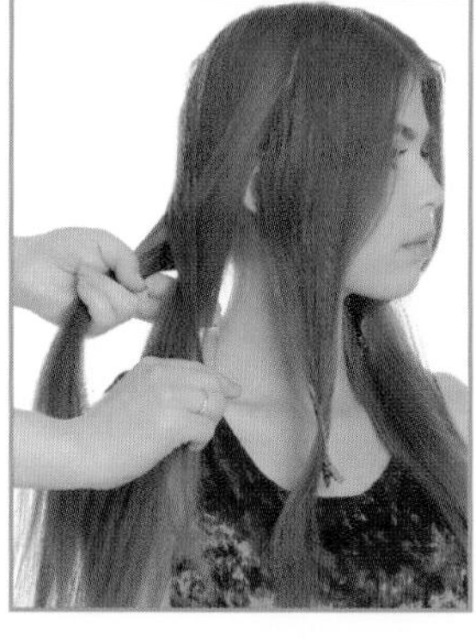

1 Разделите все волосы ровным пробором на две части. Выделите от уха до уха зону челки, как показано на фото. Зафиксируйте зажимом. Возьмите одну часть волос и разделите ее еще на две части.

2 Заплетите колосок, предварительно выделяя и перекидывая тонкую прядь с одной части волос на вторую часть. Плести начинайте примерно на уровне уха. Смотрите схему плетения колоска без подхвата.

3 Заплетите относительно тугой вариант косы.

В ПРИЧЕСКЕ ИСПОЛЬЗОВАЛИСЬ:

- **Невидимки**
- **Маленькие силиконовые резинки**
- **Плойка**
- **Лак**

4 По ходу плетения не забывайте сразу вытягивать боковые пряди из косы, при этом косу держите туго, чтобы плетение не распалось.

5 Для получения эффекта легкой растрепанности расслабьте еще немного косу.

6 Заплетите аналогично косу с другой стороны.

7 Освободите челку от зажимов, слегка ее накрутите.

8 В произвольной форме уложите локоны частично назад.

9 Зафиксируйте невидимками или шпильками.

10 После того как прическа будет готова, еще раз внимательно осмотрите ее со всех сторон. Проверьте равномерность вытянутых прядей, при необходимости подкорректируйте прическу шпильками или невидимками. Зафиксируйте лаком.

Игривое очарование *

В ПРИЧЕСКЕ ИСПОЛЬЗОВАЛИСЬ:

- **Невидимки**
- **Зажимы для волос**
- **Маленькие силиконовые резинки**
- **Декоративная лента**
- **Плойка**
- **Гель-коктейль**
- **Лак**

Прекрасный вариант для романтического свидания. Очень нежно, легко, воздушно и естественно. А лента, удачно подобранная под цвет одежды, придаст вашему образу еще больше романтизма.

Вариант прически прост в исполнении. Если кому-то сложно заплетать себя сзади, попробуйте для начала попрактиковаться заплетать косу сбоку. Все в ваших руках, и нет таких людей, кто не смог бы это сделать. Все мы талантливые, просто многие из нас не спешат раскрывать свой творческий потенциал.

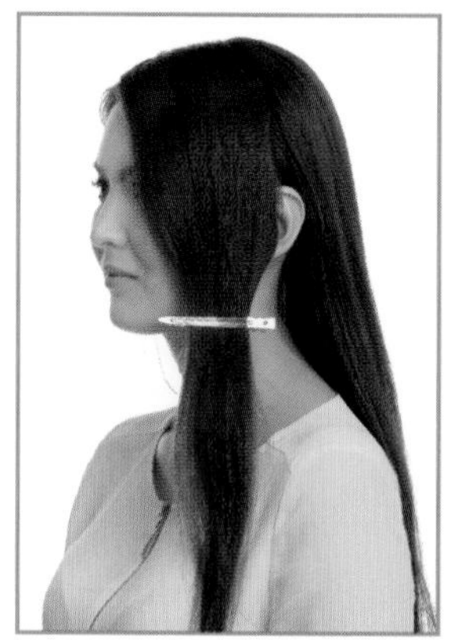

1 Выделите зону челки, как показано на фото.

2 Выделите сбоку прядь волос.

3 Привяжите к выделенной пряди ленту. Длина ленты должна быть в два раза больше длины волос.

4 Разделите хвост на три равные части. Добавьте ленту как дополнительную прядь, как показано на фото. Итого получается всего четыре пряди.

5 Расположение прядей (отсчет идет справа налево): 1-я прядь, 2-я прядь, 3-я прядь (лента), 4-я прядь. Далее смотрите схему плетения из четырех прядей с лентой с подхватом.

6 Плетите косу все время вниз, как показано на фото.

7 Аккуратно вытяните боковые пряди с двух сторон.

8 Когда дополнительные пряди закончились, заплетите косу по той же схеме плетения, но уже не добавляя пряди сверху и снизу.

9 Аккуратно вытяните боковые пряди с двух сторон.

10 Подкорректируйте прическу, если где-то пряди были вытянуты неравномерно.

11 Накрутите челку на плойку.

12 Перекиньте все волосы на одну сторону, как показано на фото.

После того как прическа будет готова, еще раз внимательно осмотрите ее со всех сторон. Проверьте равномерность вытянутых прядей, при необходимости подкорректируйте прическу шпильками или невидимками. Зафиксируйте лаком.

Утонченность и загадка *

В ПРИЧЕСКЕ ИСПОЛЬЗОВАЛИСЬ:

Невидимки

Маленькие силиконовые резинки

Гель-коктейль

Лак

Данный вариант прически сложно отнести к какому-либо случаю. Она подойдет и для вечернего варианта, и для делового мероприятия, и как вариант прически на каждый день. Одно я знаю точно: сложностей в исполнении не будет. Было бы желание творить, а подходящий повод и мероприятия всегда найдутся.

1 Выделите на макушечной зоне прядь волос. Разделите ее на две равные части.

2 Выделите из одной части тонкую прядь, перекиньте ее на противоположную сторону.

3 Аналогично поступите и со второй частью волос: выделите из второй части тонкую прядь, перекиньте ее на противоположную сторону.

4 Вновь выделите из одной части тонкую прядь и перекиньте ее на другую прядь, но теперь не забывайте добавлять к ранее перекинутой пряди дополнительную прядь сбоку с каждой стороны.

5 Оставьте несколько прядей спереди. Остальные все волосы вплетите в косу.

6 Когда все дополнительные пряди сбоку будут вплетены в косу, заплетите колосок без подхвата, поочередно выделяя и перекидывая тонкую прядь из одной части волос к другой части.

7 Приподнимите косу, как показано на фото, для создания объема на макушечной зоне. Зафиксируйте ее в таком положении невидимками с внутренней стороны.

8 Уложите косу, как показано на фото. Зафиксируйте невидимками с внутренней стороны.

9 Вы можете оставить челку прямой, можете ее всю вплести в косу, а можете слегка накрутить и естественно уложить, как показано на фото.

10 После того как прическа будет готова, еще раз внимательно осмотрите ее со всех сторон. Проверьте равномерность вытянутых прядей, при необходимости подкорректируйте прическу шпильками или невидимками. Зафиксируйте лаком.

Лиричная и утонченная

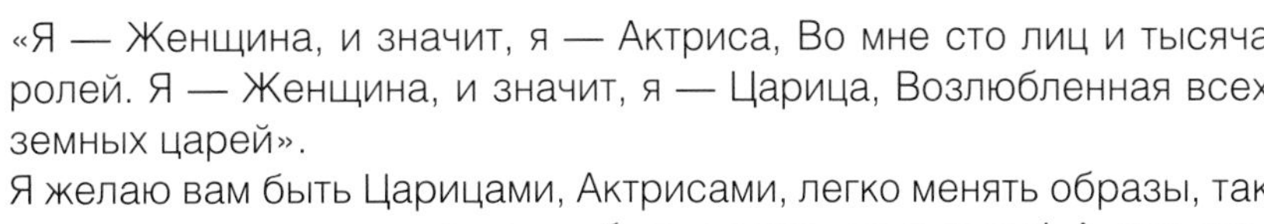

«Я — Женщина, и значит, я — Актриса, Во мне сто лиц и тысяча ролей. Я — Женщина, и значит, я — Царица, Возлюбленная всех земных царей».

Я желаю вам быть Царицами, Актрисами, легко менять образы, так же легко перевоплощаться и быть всегда на высоте! А для этого вам необходимо внимательно изучить этот мастер-класс и как можно больше практиковаться для достижения высоких результатов в этом виде искусства.

В ПРИЧЕСКЕ ИСПОЛЬЗОВАЛИСЬ:

- **Невидимки, шпильки**
- **Маленькие силиконовые резинки**
- **Гель-коктейль**
- **Лак**

1 Разделите все волосы ровным пробором на две части. Выделите с краю прядь, как показано на фото. Разделите ее на пять равных частей.

2 Далее заплетите внешний вариант косы из пяти прядей с подхватом, сверяясь со схемой плетения перед мастер-классами.

3 Аккуратно вытяните боковые пряди из косы.

4 Заплетите косу аналогично и с другой стороны.

5 Для придания прическе объема вытяните боковые пряди, как показано на фото.

6 Соберите косу в гармошку и зафиксируйте ее в таком положении с внутренней стороны невидимками в нескольких местах.

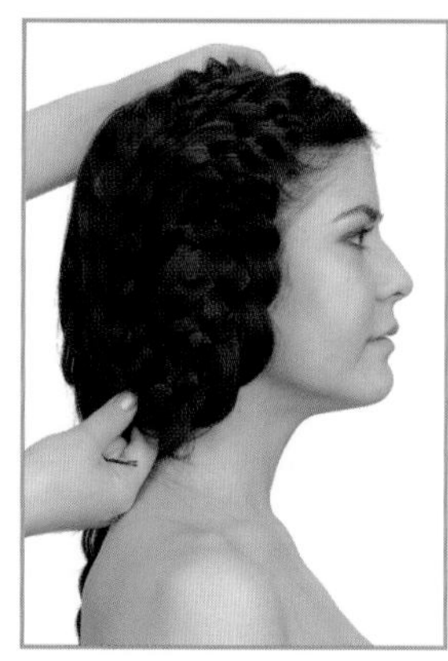

7 Концы косы с двух сторон уложите в виде корзинки, как показано на фото. Зафиксируйте невидимками с внутренней стороны косы.

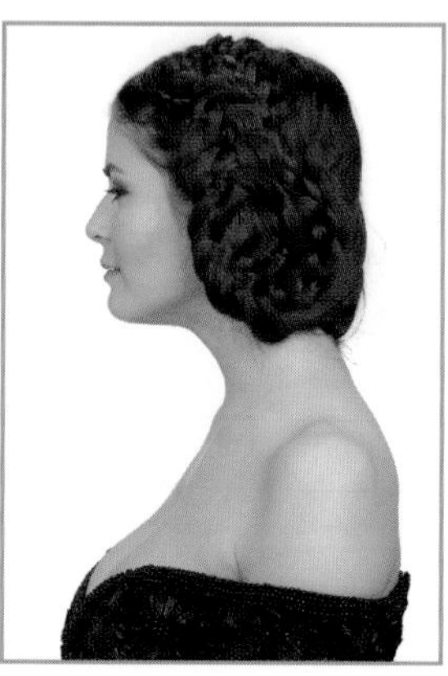

8 После того как прическа будет готова, еще раз внимательно осмотрите ее со всех сторон.

9 Проверьте равномерность вытянутых прядей, при необходимости подкорректируйте прическу шпильками или невидимками. Зафиксируйте лаком.

Искрометная жизнерадостность 

Данный образ вызывает у меня только самые светлые и приятные впечатления. Это некий народный образ русской девицы-красавицы, олицетворяющей собой все самое лучшее.
Данный образ применим для многих мероприятий, особенно актуален он для свидания, встречи с друзьями, похода в клуб, на день рождения и т.д.
Сразу скажу, что сделать себе такую красоту будет достаточно сложно. Сложность заключается в неудобстве плетения косы по кругу, но сложно — не значит невозможно. Кто старается, у того все в жизни обязательно получается.

1 Выделите косым пробором зону челки. Зафиксируйте зажимами. На макушечной зоне в виде прямоугольника выделите прядь волос, как показано на фото. Соберите в хвост.

2 Из зоны челки выделите небольшую прядь волос.

В ПРИЧЕСКЕ ИСПОЛЬЗОВАЛИСЬ:

- **Невидимки**
- **Маленькие силиконовые резинки**
- **Гель-коктейль**
- **Лак**

3 Разделите выделенную прядь на три равные части.

4 Заплетите простую косу из трех прядей по кругу.

5 Постепенно добавляйте дополнительные пряди с двух сторон.

6 Аккуратно вытяните из косы пряди, как показано на фото.

7 Постепенно уводите косу в сторону, повторяя форму головы.

8 По ходу плетения не забывайте вытягивать пряди из косы.

9 Продолжайте плести косу по кругу.

10 Не забывайте вплетать дополнительные пряди

11 Когда дополнительные пряди закончились, заплетите простую косу из трех прядей. Аккуратно вытяните пряди из косы.

12 Уложите косу по кругу, как показано на фото.

13 Зафиксируйте невидимками с внутренней стороны в нескольких местах.

14 Из хвоста заплетите простую косу из трех прядей.

15 Аккуратно вытяните пряди, как показано на фото.

16 После того как прическа будет готова, еще раз внимательно осмотрите ее со всех сторон.

17 Проверьте равномерность вытянутых прядей, при необходимостиподкорректируйте прическу шпильками или невидимками. Зафиксируйте лаком.

Эффектная и выразительная 

Любая прическа должна соответствовать характеру женщины. И даже если у вас самая прекрасная в мире прическа, но в ней вы себя чувствуете не комфортно, это огромный минус, который не позволит вам раскрыть ваше истинное лицо.

Данный вариант прически, на мой взгляд, идеально подходит нашей героине. С такой прической можно пойти на тематическую вечеринку или в клуб.

Возможно, у вас не сразу получится справиться с таким парикмахерским аксессуаром, как валик, но это все дело практики.

1 Выделите зону челки в форме треугольника, как показано на фото.

2 Приложите валик к концам челки и обмотайте его полностью. Валик желательно использовать под цвет волос.

3 По мере обматывания равномерно распределяйте все волосы по ширине валика.

В ПРИЧЕСКЕ ИСПОЛЬЗОВАЛИСЬ:

- Невидимки, шпильки
- Маленькие силиконовые резинки
- Валик для причесок
- Плойка
- Гель-коктейль
- Лак

4 Зафиксируйте один конец валика невидимками.

5 Распределите остальные волосы по валику.

6 Выделите небольшую прядь с височной зоны, как показано на фото, перекиньте ее на валик.

7 Зафиксируйте невидимками.

8 Конец пряди уложите произвольно на валик, как показано на фото.

9 Выделите с другого края небольшую прядь и уложите в форме кольца на другой конец валика.

10 Зафиксируйте шпильками.

11 Все остальные волосы слегка накрутите.

12 Соберите хвост сбоку.

13 После того как прическа будет готова, еще раз внимательно осмотрите ее со всех сторон.

14 При необходимости подкорректируйте прическу шпильками или невидимками. Зафиксируйте лаком.

Мелодия красоты

Почему-то этот образ напоминает мне древнегреческую богиню. Прически в греческом стиле — одни из самых красивых, женственных и романтических вариантов.

Почему мы стремимся быть на высоте только по праздникам и особым случаям?

Данный вариант прически достаточно легок в исполнении, и почему бы не делать такую прическу себе самостоятельно всегда, когда хочется, а не тогда, когда нужно? И не важно, будний день или выходной, торжество у вас или просто хорошее настроение, будьте всегда неотразимы, а данный пошаговый мастер-класс вам в этом поможет.

В ПРИЧЕСКЕ ИСПОЛЬЗОВАЛИСЬ:

- **Невидимки, шпильки**
- **Маленькие силиконовые резинки**
- **Плойка**
- **Гель-коктейль**
- **Лак**

1 Выделите на макушечной зоне часть волос в форме треугольника, чтобы осталось немного прядей спереди. Зафиксируйте зажимом.

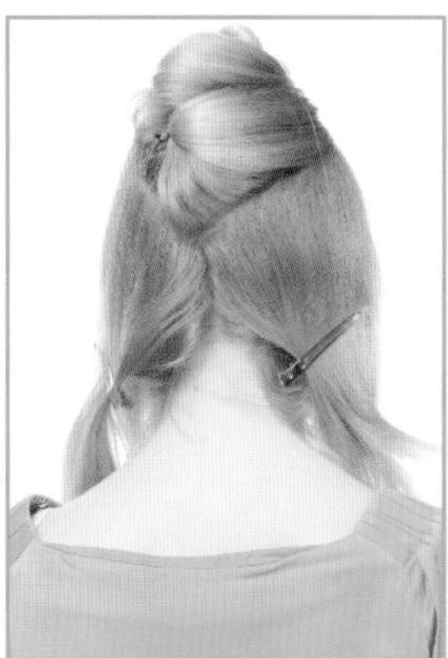

2 Остальные волосы разделите ровным пробором на две части.

3 Освободите от зажима макушечную зону. Заплетите обычную внутреннюю косу из трех прядей. Не забывайте добавлять к крайним прядям дополнительные пряди с боков.

4 Данная коса будет использоваться как объемная база для дальнейших действий.

5 Для придания косе объема вытяните из нее как боковые, так и внутренние пряди.

6 Все остальные волосы по бокам накрутите на плойку.

7 Выделяйте небольшие пряди и произвольно укладывайте их поверх ранее созданного объема (коса).

8 Зафиксируйте уложенные локоны шпильками или невидимками.

9 Уложите произвольно пряди спереди, зафиксируйте лаком.

10 После того как прическа будет готова, еще раз внимательно осмотрите. Проверьте равномерность объема со всех сторон, при необходимости подкорректируйте прическу шпильками или невидимками. Зафиксируйте лаком.

Изысканная леди *

Вы всегда будете выглядеть экстравагантно и стильно, если в вашем арсенале будет такой вариант прически. Тем более что создать его на себе очень просто. Для этого вам необходимо научиться делать начес. Если у кого-то он не получается или у вас не слишком густые волосы, то вполне можно использовать валик для волос. С ажурной косой, которая придает прическе пикантность, я думаю, вы справитесь с легкостью.

После того как вы научитесь делать на себе такую красоту, в вашем расписании обязательно появится мероприятие, которое стоит посетить и блеснуть на нем во всей красе.

В ПРИЧЕСКЕ ИСПОЛЬЗОВАЛИСЬ:

- Невидимки, шпильки
- Зажимы для волос
- Маленькие силиконовые резинки
- Плойка
- Гель-коктейль
- Лак

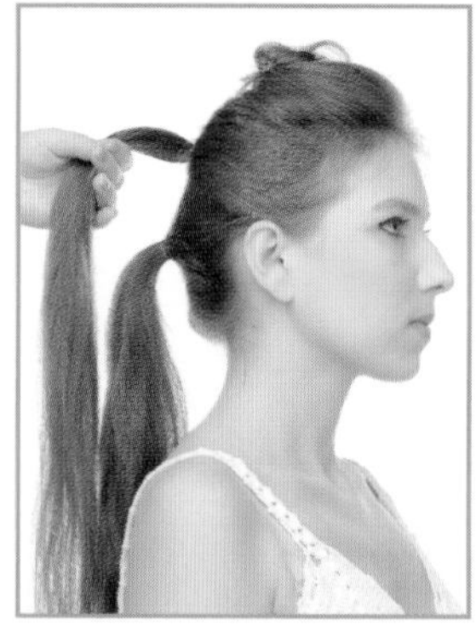

1 Выделите зону челки в форме треугольника. Зафиксируйте зажимом. Остальные волосы разделите горизонтальным пробором на две части (нижняя часть немного больше, чем верхняя). Зафиксируйте хвост резинкой.

2 Сделайте начес нижней части волос с внутренней стороны.

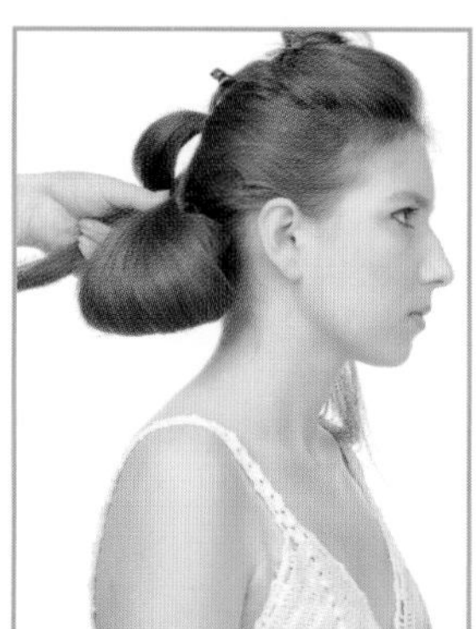

3 Сформируйте валик, как показано на фото. Зафиксируйте лаком и невидимками по бокам.

4 Основание резинки обмотайте прядью волос.

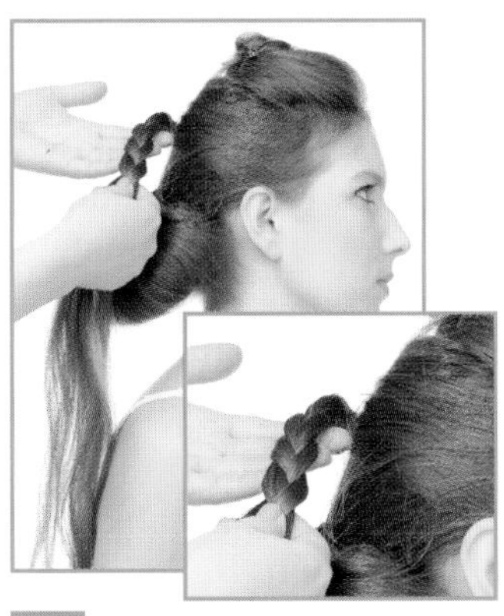

5 Из второй (верхней) части волос заплетите простую косу из трех прядей.

6 Вытяните пряди с одной стороны, как показано на фото.

7 Сформируйте из косы цветок. Для этого вам необходимо, начиная с конца, закручивать косу по кругу.

8 Зафиксируйте цветок с внутренней стороны невидимками в нескольких местах.

9 Освободите челку от зажима. Накрутите ее на плойку.

10 Уложите челку волной, как показано на фото. При необходимости сделайте прикорневой начес.
После того как прическа будет готова, еще раз внимательно осмотрите ее со всех сторон.
Проверьте равномерность вытянутых прядей, при необходимости подкорректируйте прическу шпильками или невидимками. Зафиксируйте лаком.

Неотразимая скромница

Универсальный вариант прически, который смотрится женственно и утонченно, но при этом является классическим и подходит для разных случаев.
Выполнить его на себе просто, и в этом вам поможет мой мастер-класс.

1 Разделите ровным пробором зону челки от уха до уха. Зафиксируйте зажимами.

2 Выделите с двух сторон по тонкой пряди, как показано на фото. Перекиньте одну прядь на другую.

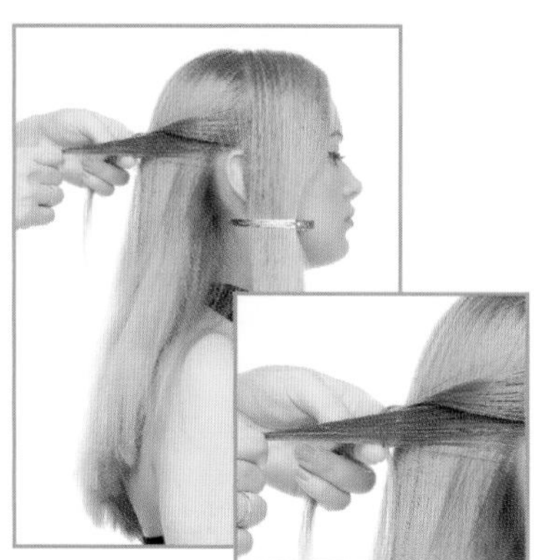

3 Выделите из одной части волос тонкую прядь и перекиньте ее на другую прядь. Добавьте к ранее перекинутой пряди дополнительную прядь сбоку.

4 Аналогично поступите и со второй частью волос.

В ПРИЧЕСКЕ ИСПОЛЬЗОВАЛИСЬ:

- Невидимки
- Зажимы для волос
- Маленькие силиконовые резинки
- Плойка
- Гель-коктейль
- Лак

5 Таким образом заплетите колосок до конца, поочередно выделяя и перекидывая тонкую прядь из одной части к другой. При этом не забывайте добавлять к крайним прядям дополнительные пряди с боков.

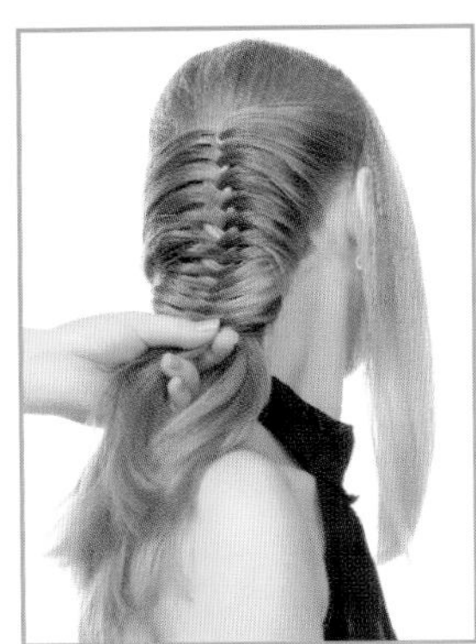

6 Вытяните немного боковые пряди из косы.

7 Когда все дополнительные пряди сбоку будут вплетены в косу, заплетите колосок без подхвата, поочередно выделяя и перекидывая тонкую прядь из одной части волос к другой части.

8 Вытяните из косы боковые пряди для плавного перехода.

9 Можете оставить косу в таком положении.

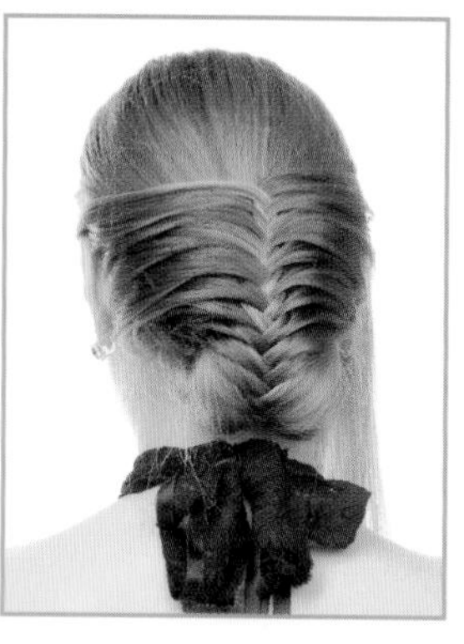

10 Можете закрутить косу под низ, как показано на фото.

11 Слегка накрутите волосы из зоны челки.

12 Уложите локоны в произвольной форме.

13 Постарайтесь придать челке завершенный вид.

14 После того как прическа будет готова, еще раз внимательно осмотрите ее со всех сторон. Проверьте равномерность вытянутых прядей, при необходимости подкорректируйте прическу шпильками или невидимками. Зафиксируйте лаком.

Лукавая проницательность 

С такой прической можно смело выходить на красную ковровую дорожку. Образ нашей героини таит в себе много загадок, которые предстоит еще разгадать. Она женственна, элегантна, и прическа в очередной раз подчеркивает ее природную красоту и нежность.

Данный вариант прически прост в исполнении. И пусть у вас получится с первого раза не так хорошо, как хотелось бы, ничего в этом страшного нет. Главное — желание творить, пробовать, экспериментировать, и результат вас не заставит долго ждать.

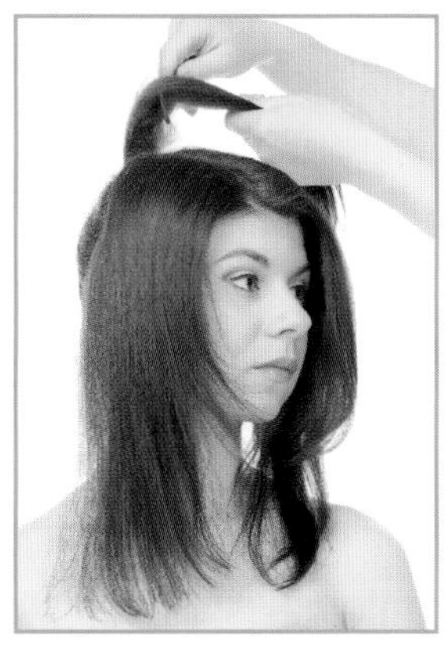

1 Отделите ровным пробором зону челки от уха до уха. Все остальные волосы соберите в высокий хвост. Сделайте начес с внутренней стороны хвоста. Сбрызните лаком для фиксации.

2 Сформируйте из предварительно начесанных прядей валик. Зафиксируйте его невидимками с внутренней стороны.

В ПРИЧЕСКЕ ИСПОЛЬЗОВАЛИСЬ:

Невидимки, шпильки

Силиконовые резинки

Гель-коктейль

Лак

СОВЕТ: Вместо начеса можно использовать круглый валик. Достаточно просто закрепить его перед хвостом невидимками и покрыть сверху волосами.

3 Выделите из зоны челки небольшую прядь волос.

4 Заплетите из выделенной ранее части волос простую косу из трех прядей. Аккуратно вытяните из нее боковые пряди для придания объема.

5 Заплетите несколько ажурных кос. Их количество зависит от густоты волос и от эффекта, которого вы желаете достичь.

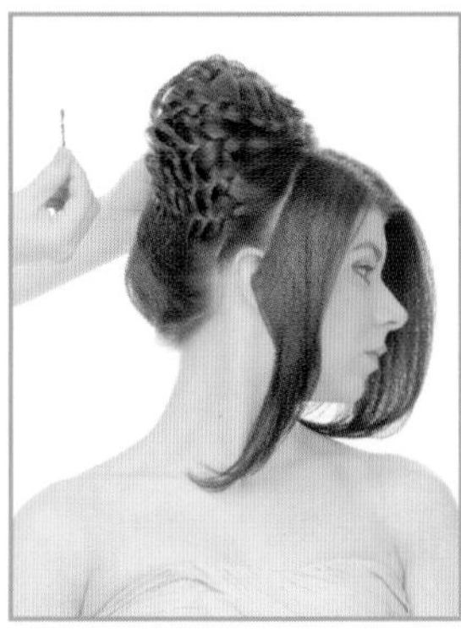

6 Уложите косы поверх созданного объема, как показано на фото.

7 Концы кос зафиксируйте невидимками или шпильками.

8 Конец челки уведите под косу. Зафиксируйте невидимками с внутренней стороны.

9 После того как прическа будет готова, еще раз внимательно осмотрите ее со всех сторон. Проверьте равномерность вытянутых прядей, при необходимости подкорректируйте прическу шпильками или невидимками. Зафиксируйте лаком.

Непостижимое обаяние

**

Нет ничего проще, чем создавать прически, используя «конский хвост». Это быстро, удобно, практично, а самое главное — легко. Вы вполне можете освоить создание этой прически самостоятельно и с прекрасным настроением и чувством гордости смело отправиться на любое вечернее мероприятие.

В ПРИЧЕСКЕ ИСПОЛЬЗОВАЛИСЬ:

- Невидимки, шпильки
- Маленькие силиконовые резинки
- Резинка с крючками
- Плойка
- Гель-коктейль
- Лак

1 Выделите косым пробором зону челки, как показано на фото. Остальные волосы соберите в высокий хвост.

2 Выделите из хвоста небольшую прядь волос.

3 Сделайте начес выделенной пряди.

4 Обмотайте ранее начесанной прядью основание хвоста. Конец пряди зафиксируйте невидимкой. Для простоты вместо начеса можно использовать круглый валик.

5 Выделите из хвоста небольшую прядь волос и заплетите ажурную косу.

6 Уложите ажурную косу на предварительно начесанную прядь. Зафиксируйте невидимками или шпильками по кругу.

7 Заплетите вторую ажурную косу и уложите ее поверх первой.

8 Зафиксируйте невидимками или шпильками по кругу.

9 Таким образом заплетите несколько ажурных кос.

10 Уложите их, как показано на фото.

11 Накрутите пряди из зоны челки на плойку. Уложите локоны в произвольной форме. Зафиксируйте невидимками.

После того как прическа будет готова, еще раз внимательно осмотрите ее со всех сторон. Проверьте равномерность вытянутых прядей, при необходимости подкорректируйте прическу шпильками или невидимками. Зафиксируйте лаком.

Трогательная решительность 

Рада поделиться с вами своей очередной идеей вечернего варианта прически. Я решила немного его разнообразить и внесла в прическу такой элемент, как плетение из резинок. На самом деле прическа оригинальна и проста, и если не брать во внимание плетение из резинок, то выполнить самостоятельно ее очень легко.

Данный образ можно смело отнести как к свадебному, вечернему, так и к романтичному повседневному варианту.

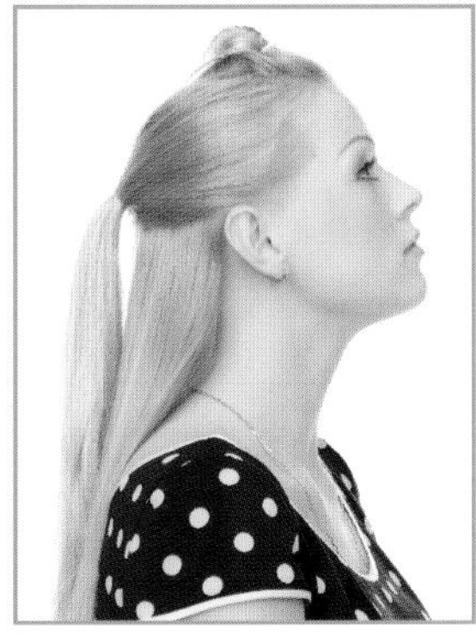

1 Выделите зону челки в форме треугольника, как показано на фото. Разделите остальные волосы горизонтальным пробором на две части.

2 Выделите из хвоста небольшую прядь и зафиксируйте ее резинками, желательно в цвет волос.

3 Заплетите из выделенной пряди сеточку, используя прозрачные силиконовые резинки.

В ПРИЧЕСКЕ ИСПОЛЬЗОВАЛИСЬ:

- **Невидимки, шпильки**
- **Маленькие силиконовые резинки**
- **Плойка**
- **Гель-коктейль**
- **Лак**

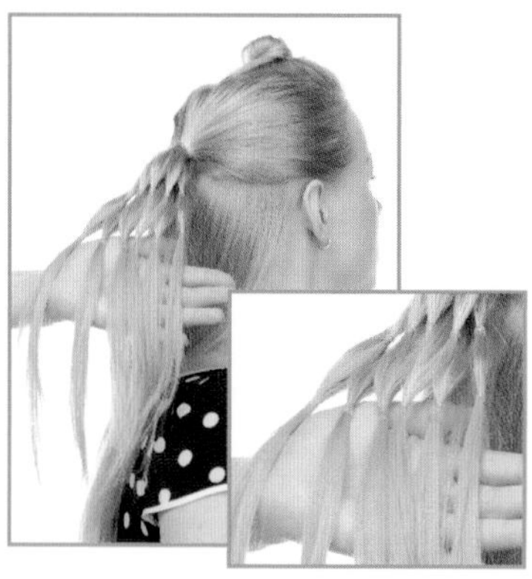

4 Второй ряд сеточки формируется следующим образом: каждую прядь необходимо разделить пополам и соединить эти половинки с соседними прядями.

5 Зафиксируйте резинкой.

6 Из нижней части волос заплетите простую косу из трех прядей.

7 Вытяните боковые пряди из косы.

8 Сформируйте из косы объемный пучок сбоку. Для этого вам достаточно будет просто закрутить ажурную косу вокруг основания хвоста. Зафиксируйте пучок невидимками по кругу.

9 Красиво уложите сеточку с другой стороны объемного пучка.

10 Зафиксируйте лаком.

11 Освободите челку от зажима. Слегка ее накрутите и уложите в произвольной форме.

12 После того как прическа будет готова, еще раз внимательно осмотрите ее со всех сторон. Проверьте равномерность вытянутых прядей, при необходимости подкорректируйте прическу шпильками или невидимками. Зафиксируйте лаком.

Нежность и грация

Плетение «колосок» настолько эффектно смотрится в прическах, особенно на светлых и мелированных волосах, что сложно устоять перед такой красотой. С такой прической вы точно не останетесь незамеченными.

Сделать то же самое на себе самостоятельно будет немного сложно, т.к. данное плетение, особенно в этом варианте прически, требует максимальной аккуратности. Но вы всегда сможете обратиться за помощью к другим мастерам с данной книгой, и вам не придется объяснять на пальцах, что вы хотите от них получить.

В ПРИЧЕСКЕ ИСПОЛЬЗОВАЛИСЬ:

Невидимки, шпильки
Маленькие силиконовые резинки
Гель-коктейль
Лак

1 Выделите зону челки в форме треугольника, как показано на фото.

2 Зачешите выделенную часть волос вперед.

3 Выделите из треугольника небольшую прядь.

4 Разделите ее на две равные части.

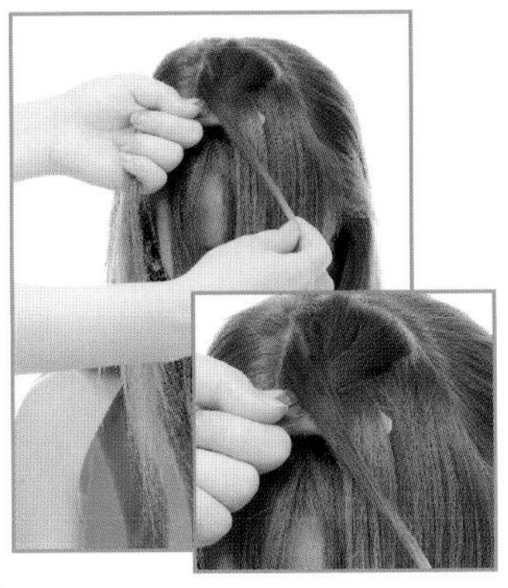

5 Выделите из одной части тонкую прядь и перекиньте ее на противоположную сторону. Добавьте к ранее перекинутой пряди дополнительную прядь сбоку.

6 Заплетите колосок, поочередно выделяя и перекидывая тонкую прядь из одной части к другой. Не забывайте добавлять к крайним прядям дополнительные пряди сбоку. Более подробно смотрите схему плетения колоска с подхватом перед мастер-классами.

7 Разверните косу, как показано на фото, и продолжайте плетение далее.

8 Постепенно уводите косу влево.

СОВЕТЫ: Чтобы сделать красивый и плавный переход, старайтесь добавлять дополнительные пряди сверху и снизу под прямым углом. Не спешите брать пряди с другого края.

9 После того как заплели косу до другого края, так же плавно и не спеша разворачивайте ее в противоположную сторону.

10 Обратите внимание на момент перехода косы на другую сторону. Он должен быть плавным.

11 Когда дополнительные пряди закончились, заплетите колосок без подхвата, поочередно выделяя и перекидывая тонкую прядь из одной части к другой.

12 Слегка вытяните боковые пряди из косы и уложите ее, как показано на фото. Зафиксируйте невидимками с внутренней стороны.

13 Для придания прическе объема — аккуратно вытяните боковые пряди из косы со всех сторон, как показано на фото.

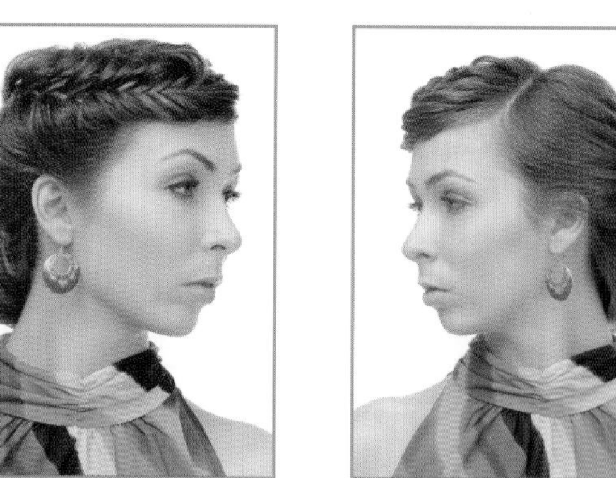

14 После того как прическа будет готова, еще раз внимательно осмотрите ее со всех сторон.

15 Проверьте равномерность вытянутых прядей, при необходимости подкорректируйте прическу шпильками или невидимками. Зафиксируйте лаком.

Непревзойденное совершенство ***

Не каждый день увидишь такую прическу и не сразу догадаешься, каким образом достигается такой завидный объем. Такая прическа отлично подойдет для романтического вечера, корпоратива или особого вечернего торжества.

Из-за валика повторить то же самое на себе не так просто. Вы можете для начала попробовать сделать такую прическу без валика. Но заметьте, что без валика прическа станет совсем иной!

В ПРИЧЕСКЕ ИСПОЛЬЗОВАЛИСЬ:

- Невидимки, шпильки
- Маленькие силиконовые резинки
- Валик для причесок овальной формы
- Гель-коктейль
- Лак

1 Отделите ровным пробором зону челки от уха до уха.

2 Сделайте по всему пробору с двух сторон крепление из невидимок, как показано на фото. База из невидимок должна быть примерно равна ширине используемого валика.

3 Положите на пробор валик.

4 Зафиксируйте валик шпильками, при этом невидимки используйте как базу для крепления валика.

5 Для этого необходимо зацепить шпильку за край валика и завести внутрь под невидимки.

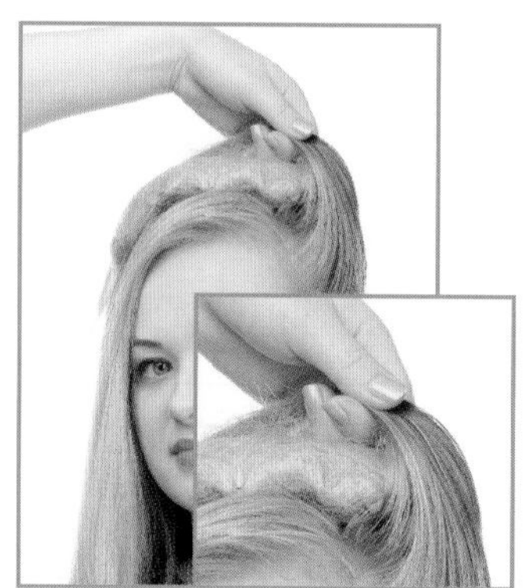

6 Выделите с височной зоны небольшую прядь волос, как показано на фото.

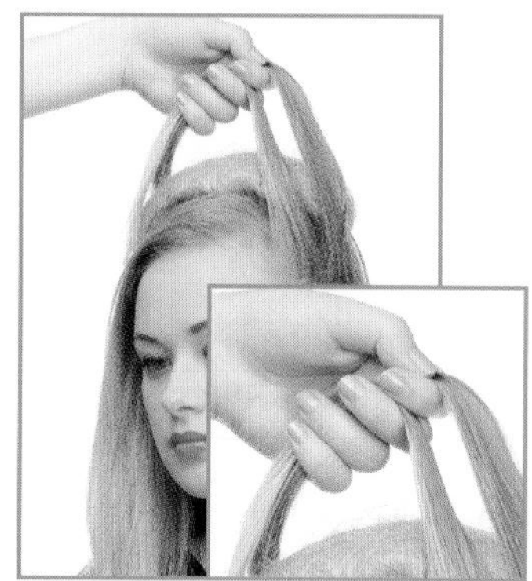

7 Разделите ее на две равные части.

8 Выделите из одной части тонкую прядь и перекиньте ее на противоположную сторону.

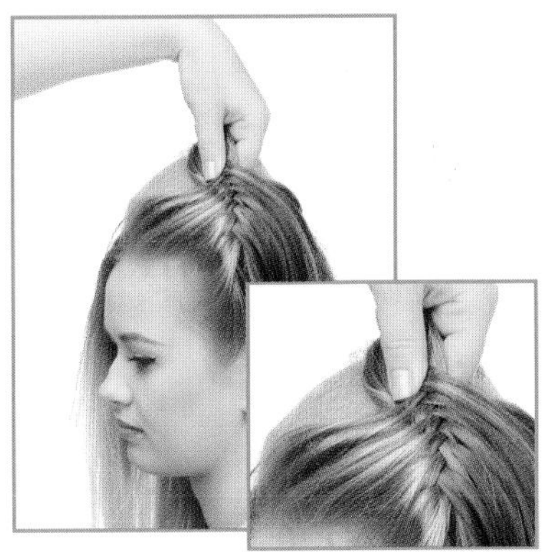

9 Добавьте к ранее перекинутой пряди дополнительную прядь сбоку. Аналогично поступите и со второй частью волос.

10 Таким образом заплетите колосок до конца. Более подробно смотрите схему плетения колоска с подхватом перед мастер-классами.

11 Когда все дополнительные пряди сбоку будут вплетены в косу, заплетите колосок без подхвата, поочередно выделяя и перекидывая тонкую прядь из одной части волос к другой части.

12 Аккуратно вытяните из косы боковые пряди. Сформируйте цветок, уложите полукругом и зафиксируйте невидимками с внутренней стороны.
После того как прическа будет готова, еще раз внимательно осмотрите ее со всех сторон. Проверьте равномерность вытянутых прядей, при необходимости подкорректируйте прическу шпильками или невидимками. Зафиксируйте лаком.

Неотразимая и привлекательная

Вновь обладательница вьющихся волос, и вновь мои любимые жгуты. Почему именно этот способ плетения? Потому что другие не так видны на волнистых волосах. Используя жгутики, мы получили впечатляющий объем, несмотря на небольшую длину волос. Если вы не обладательница волнистых волос, то для достижения похожего результата вам необходимо будет предварительно накрутить волосы.
Прическа выглядит празднично и создается быстро.

В ПРИЧЕСКЕ ИСПОЛЬЗОВАЛИСЬ:

Невидимки, шпильки
Зажимы для волос
Маленькие силиконовые резинки
Лак

1 Разделите все волосы полукругом на две части, как показано на фото. Верхнюю часть зафиксируйте для удобства зажимом.

2 Выделите небольшую прядь.

3 Разделите ее на две равные части.

4 Скрутите каждую прядь в одном направлении в жгутик. В данном случае каждая прядь была скручена в правую сторону. Перекрестите их между собой, но уже в противоположную сторону, как показано на фото. Т.е. если две пряди были скручены в жгутик в правую сторону, то между собой их нужно скручивать в левую сторону.

5 Добавьте к крайней правой и левой пряди, скрученным в жгутик, дополнительную прядь сбоку, как показано на фото. Соедините их вместе, перекрутите вправо, а между собой две пряди влево. Таким образом заплетите косу до конца.

6 Для создания объема равномерно вытяните из жгута пряди, как показано на фото.

7 Освободите вторую часть волос от зажима.

8 Выделите небольшую прядь. Разделите ее на две равные части.

9 Заплетите косу-жгут так же, как и в первом варианте. По мере плетения не забывайте вытягивать пряди из жгута.

10 Старайтесь, чтобы плетение было расположено близко к пробору, чтобы была возможность соединить две косы-жгута между собой.

11 Соедините два жгута между собой шпильками в нескольких местах.

12 Уложите концы жгута сбоку, как показано на фото. Зафиксируйте невидимками с внутренней стороны.
После того как прическа будет готова, еще раз внимательно осмотрите ее со всех сторон. Проверьте равномерность вытянутых прядей, при необходимости подкорректируйте прическу шпильками или невидимками. Зафиксируйте лаком.

Вызывающая восторг ***

Необычный подход к созданию прически делает ее еще более оригинальной. Наша героиня похожа на девушку из книги с приключенческим сюжетом.

Создать такой вариант прически на себе самостоятельно, конечно, можно, хотя будет не так просто. Самое главное в данной прическе — это плетение «колосок», а он требует к себе трепетного внимания и стараний.

Вам придется приложить максимум усилий, чтобы создать эффект рельефности, т.е. чтобы каждая прядь четко выделялась в прическе. Но у вас обязательно все получится, я знаю!

В ПРИЧЕСКЕ ИСПОЛЬЗОВАЛИСЬ:

- Шпильки, невидимки
- Маленькие силиконовые резинки
- Гель-коктейль
- Лак

1 Выделите прямым пробором зону челки от уха до уха, как показано на фото. Остальные волосы соберите в высокий хвост.

2 Перекиньте хвост вперед. Выделите из хвоста небольшую прядь. Разделите ее на две равные части.

3 Заплетите колосок. Для этого вам необходимо из одной части волос выделить небольшую прядь и перекинуть ее на другую прядь. То же самое сделать и со второй прядью. Более подробно смотрите схему плетения колоска с подхватом перед мастер-классами.

4 После того как вы сделали предыдущий шаг, начинайте добавлять к крайним прядям еще дополнительные пряди с двух сторон, а точнее с хвоста и с зоны челки.

5 Постепенно уводите косу в сторону.

6 Вам нужно повторить форму головы.

7 Когда дополнительные пряди закончились, заплетите колосок без добавления дополнительных прядей, поочередно выделяя и перекидывая тонкую прядь из одной части волос к другой части.

8 Вытяните из косы боковые пряди с одной стороны, как показано на фото.

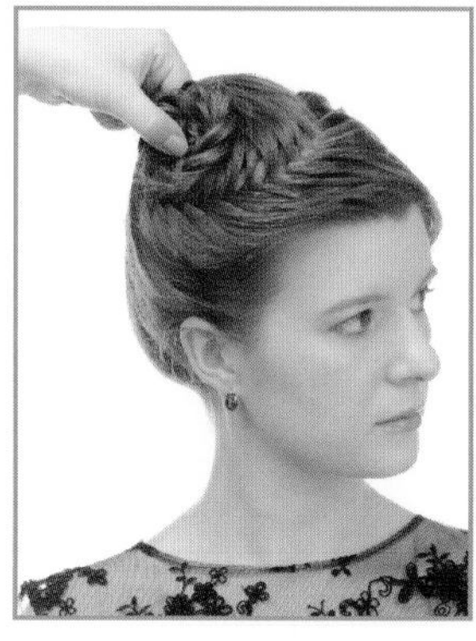

9 Сформируйте цветок и закрутите косу вовнутрь, ближе к основанию хвоста. Зафиксируйте невидимками в нескольких местах.

После того как прическа будет готова, еще раз внимательно просмотрите ее со всех сторон. Если где-то имеются провалы, неровности или слишком явные выпуклости, исправьте их, вытянув пряди или, наоборот, немного их спрятав. Зафиксируйте полученную прическу лаком.

Феерия красоты

Зачастую получается так, что вся красота прически находится либо сзади, либо сбоку. В данном варианте мы смогли сделать так, чтобы красота была видна со всех сторон.

Создать самостоятельно данный образ очень просто за счет того, что все действия производятся из собранных в хвост волос. Так что все в ваших руках, учитесь, старайтесь и приятно удивляйте окружающих своей красотой и талантом.

1 Выделите зону челки в форме треугольника. Зафиксируйте зажимом. Остальные волосы горизонтальными проборами разделите на три равные части. Зафиксируйте резинками.

2 Выделите с первого хвоста небольшую прядь волос.

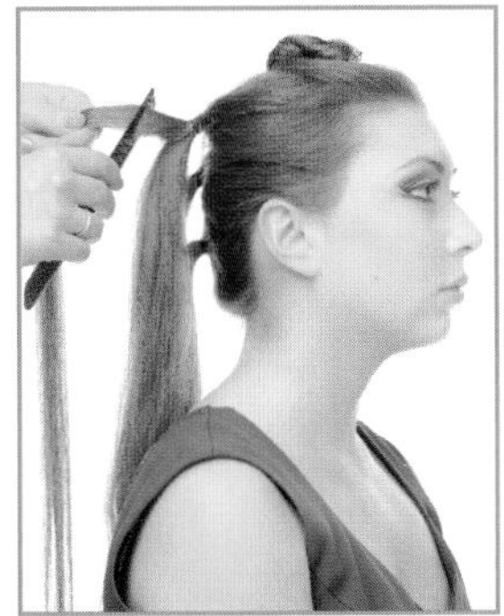

3 Сделайте начес пряди с внутренней стороны. С внешней стороны отчешите прядь, чтобы она была гладкой. Зафиксируйте слегка лаком.

В ПРИЧЕСКЕ ИСПОЛЬЗОВАЛИСЬ:

- Невидимки, шпильки
- Зажимы для волос
- Маленькие силиконовые резинки
- Гель-коктейль
- Лак

4 Сформируйте из ранее начесанной пряди серединку цветка.

5 Из остальной части волос заплетите косу из трех прядей. Аккуратно вытяните боковые пряди из косы с одной стороны.

6 Обмотайте косой серединку цветка. Зафиксируйте по кругу невидимками.

7 Заплетите аналогично из второго хвоста ажурную косу, как показано на фото.

8 Обмотайте этой косой цветок. Зафиксируйте по кругу невидимками.

9 Из последнего хвоста заплетите ажурную косу.

10 Освободите волосы с зоны челки от зажима. Сделайте прикорневой начес.

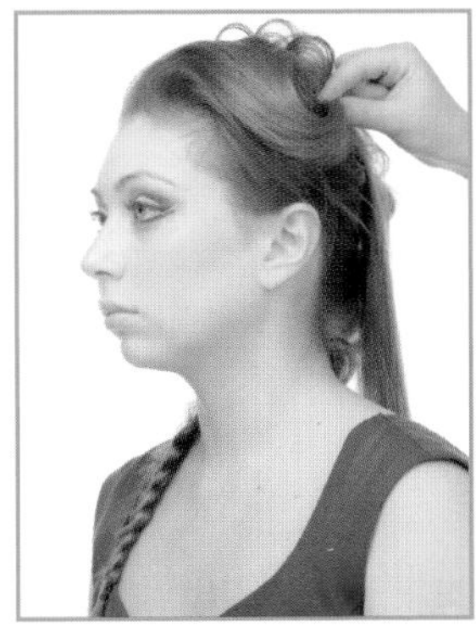

11 Уложите волосы волной, как показано на фото. Зафиксируйте невидимками.

12 После того как прическа будет готова, еще раз внимательно осмотрите ее со всех сторон. Проверьте равномерность вытянутых прядей, при необходимости подкорректируйте прическу шпильками или невидимками. Зафиксируйте лаком.

Дыхание новизны

**

Очень простой, но в то же время оригинальный вариант прически, который будет актуален как для романтического вечера, похода в клуб, на вечеринку, на работу, так и просто для прогулки с друзьями. Сделать самостоятельно его на себе будет не просто. Так что подружки вам в помощь!

1 Разделите все волосы на две части, как показано на фото.

2 Выделите с одной стороны небольшую прядь. Разделите ее на две равные части.

3 Выделите из одной части тонкую прядь и перекиньте ее на противоположную сторону. Добавьте к ранее перекинутой пряди дополнительную прядь сбоку. То же самое проделайте и с другой частью.

4 Проплетите немного колосок, как показано на фото. Более подробно технику плетения колоска с подхватом смотрите выше.

В ПРИЧЕСКЕ ИСПОЛЬЗОВАЛИСЬ:

Невидимки, шпильки
Маленькие силиконовые резинки
Гель-коктейль
Лак

5 С данного момента, прежде чем добавить сверху к крайней пряди дополнительную прядь, необходимо выделить из крайней пряди небольшую прядь и убрать ее в сторону.

6 После того как дополнительные пряди закончились, заплетите колосок без подхвата, поочередно выделяя и перекидывая тонкие пряди из одной части к другой.

7 Аналогично заплетите колосок и с другой стороны.

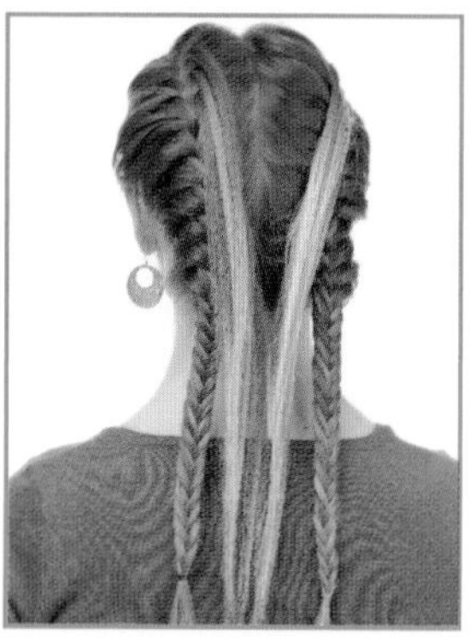

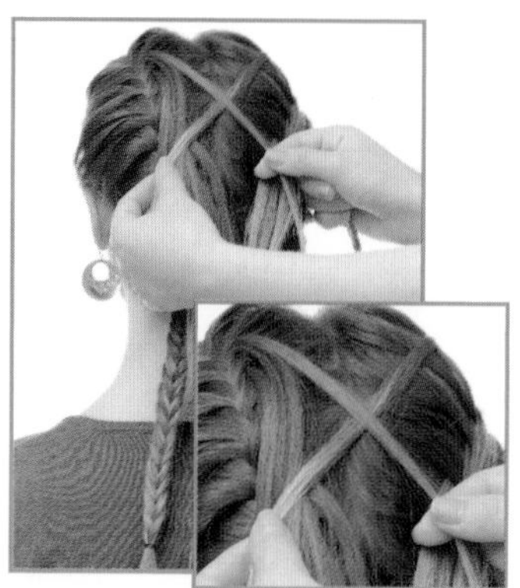

8 Продолжение.

9 Из ранее выделенных прядей заплетите колосок, поочередно перекидывая выделенные пряди из одной стороны на противоположную сторону (без добавления дополнительных прядей).

10 Продолжение.

11 Обмотайте две косы центральной косой, как показано на фото. Конец косы зафиксируйте невидимкой с внутренней стороны.

12 После того как прическа будет готова, еще раз внимательно осмотрите ее со всех сторон. Проверьте равномерность вытянутых прядей, при необходимости подкорректируйте прическу шпильками или невидимками. Зафиксируйте лаком.

Трепетная скромность

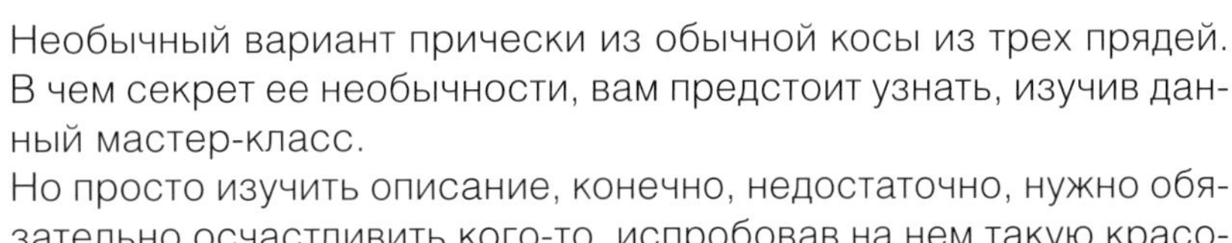

Необычный вариант прически из обычной косы из трех прядей. В чем секрет ее необычности, вам предстоит узнать, изучив данный мастер-класс.

Но просто изучить описание, конечно, недостаточно, нужно обязательно осчастливить кого-то, испробовав на нем такую красоту. Возможно, с опытом вы с легкостью сможете воспроизвести то же самое и на себе, а пока советую вам много практиковаться и открывать в себе новые таланты.

В ПРИЧЕСКЕ ИСПОЛЬЗОВАЛИСЬ:

- **Невидимки, шпильки**
- **Маленькие силиконовые резинки**
- **Гель-коктейль**
- **Лак**

1 Разделите волосы на косой пробор. Выделите небольшую прядь, как показано на фото.

2 Разделите прядь на три равные части.

3 Начинайте заплетать обычную косу из трех прядей параллельно пробору.

4 Дополнительные пряди добавляйте к крайним прядям только сверху.

5 Заплетите косу по кругу, как показано на фото. ➔

6 Разверните косу в другую сторону.

7 С данного момента добавляйте к крайним прядям дополнительные пряди как сверху, так и снизу.

8 По ходу плетения аккуратно вытяните пряди из косы. Заплетите аналогично до височной зоны на другой стороне.

9 Заплетите обычную косу из трех прядей. Для придания косе объема аккуратно вытяните пряди.

10 Сформируйте цветок, закрутив ажурную косу полукругом. Зафиксируйте по кругу невидимками с внутренней стороны.

11 После того как прическа будет готова, еще раз внимательно осмотрите ее со всех сторон.

Пылкая и дерзкая

Любой мастер знает, как яркая деталь в прическе может либо украсить ее, либо испортить. В данном образе этой деталью является украшение в виде петельки из косы, уложенной сбоку. На мой взгляд, эта деталь идеально сочетается с образом нашей героини. Эту прическу можно смело отнести к вечернему варианту, но как я говорила уже ранее, нет четких границ для разделения причесок на виды. И если вам захочется пойти нарядной на прогулку с друзьями, вряд ли вас кто-то осудит.

Хочу обратить ваше внимание на то, что этот вариант прически сделать на себе очень просто, т.к. проще плести, когда руки опущены вниз, нежели чем тянуть их вверх.

1 Зачешите все волосы назад.

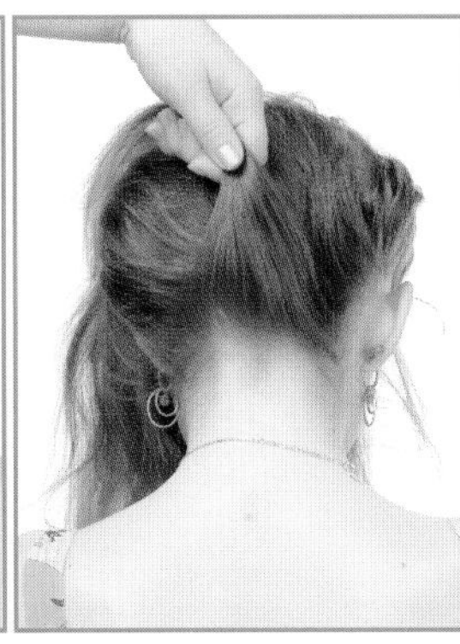

2 Плетение «колосок» будет начинаться с затылочной зоны.

3 Выделите небольшую прядь, разделите ее на две равные части.

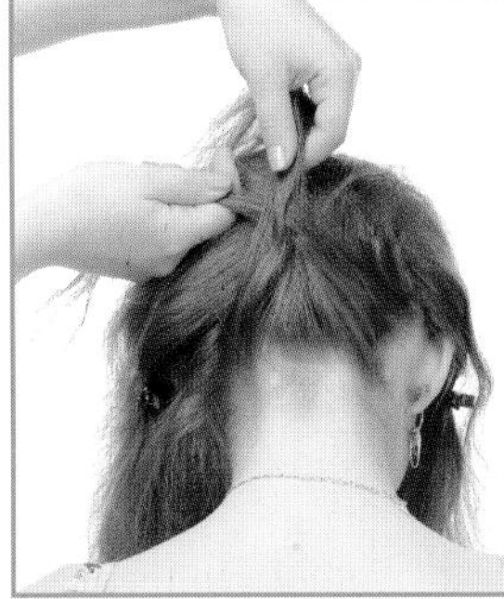

4 Выделите из одной части тонкую прядь и перекиньте ее на противоположную сторону. Добавьте к ранее перекинутой пряди дополнительную прядь сбоку.

В ПРИЧЕСКЕ ИСПОЛЬЗОВАЛИСЬ:

- **Невидимки**
- **Маленькие силиконовые резинки**
- **Гель-коктейль**
- **Лак**

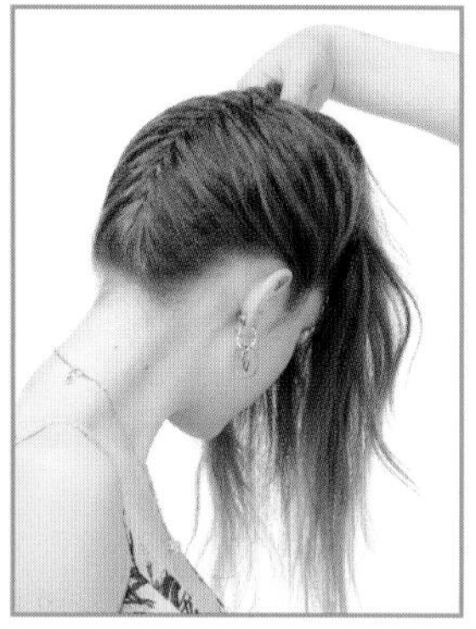

5 Плести необходимо туго, повторяя форму головы.

СОВЕТ: Если во время плетения образовалось много «петухов», возьмите расческу с мелкими зубчиками и слегка подчешите там, где это необходимо. Все же лучше заранее позаботиться о том, чтобы «петухов» не было, т.к. изюминку всей прически как раз и придает рельефность плетения.

6 Когда все дополнительные пряди сбоку будут вплетены в косу, заплетите колосок без подхвата, поочередно выделяя и перекидывая тонкую прядь из одной части волос к другой части.

7 Когда «колосок» будет доплетен до конца, аккуратно вытяните боковые пряди из косы.

8 Уложите косу полукругом, спрячьте конец косы внутрь, зафиксируйте невидимками.

9 После того как прическа будет готова, еще раз внимательно осмотрите ее со всех сторон. Проверьте равномерность вытянутых прядей, при необходимости подкорректируйте прическу шпильками или невидимками. Зафиксируйте лаком.

Роскошь и соблазн

Роскошный вид этой прическе придает одновременное использование двух видов плетения: узлами и обьемное ажурное.
Выполнить плетение узлами на себе не так сложно, если у вас длинные волосы, и желательно одной длины. Если все же волосы разной длины, то такой вариант прически у вас долго не продержится. Это обязательно нужно учитывать при выборе плетения для создания прически.
Это безусловно праздничный образ: создав его, вы смело можете пойти как на вечеринку, так и на свидание. Но даже когда вы явитесь с такой прической на работу, вряд ли вас поймут неправильно — конечно, если вам не придет в голову надеть вечернее платье, — а вот позавидуют непременно.

1 Разделите челку косым пробором, как показано на фото.

2 Выделите небольшую прядь волос.

3 Разделите ее на две равные части.

4 Завяжите прядь двойным узлом.

В ПРИЧЕСКЕ ИСПОЛЬЗОВАЛИСЬ:

Невидимки, шпильки
Маленькие силиконовые резинки
Гель-коктейль
Лак

5 Выделите аналогично такую же прядь снизу (под первой прядью).

6 Разделите выделенную прядь на две части и завяжите двойной узел.

7 Возьмите две пряди с первого узла, проденьте их под вторыми с двух сторон.

8 Добавьте к этим же прядям дополнительные пряди с двух сторон. Завяжите двойной узел.

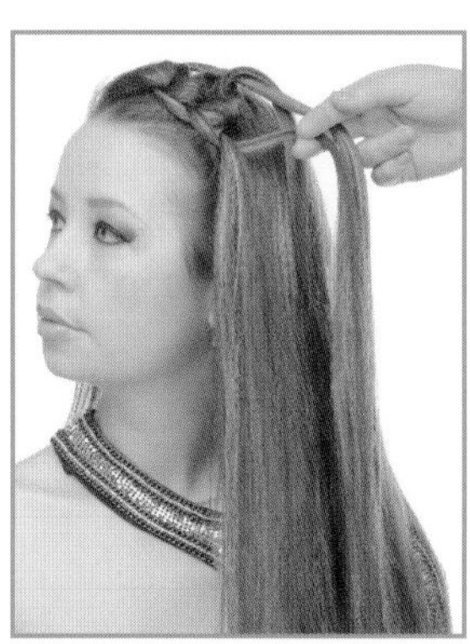

9 Вновь проденьте предыдущие пряди под следующими прядями. Добавьте к ним дополнительные пряди с двух сторон и завяжите двойной узел.

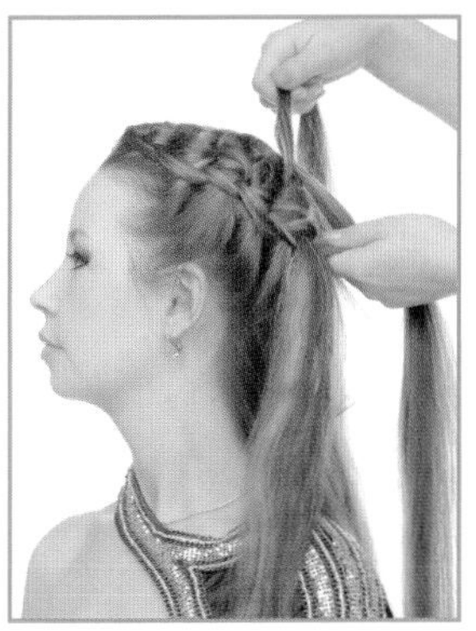

10 Таким образом плетите до конца, как показано на фото. Зафиксируйте хвост резинкой.

11 Немного вытяните боковые пряди из плетения.

12 Из хвоста заплетите простую косу из трех прядей.

13 Вытяните из косы боковые пряди.

14 Закрутите косу полукругом вокруг основания хвоста. Зафиксируйте по кругу невидимками или шпильками.

15 После того как прическа будет готова, еще раз внимательно осмотрите ее со всех сторон. Проверьте равномерность вытянутых прядей, при необходимости подкорректируйте прическу шпильками или невидимками. Зафиксируйте лаком.

Трогательная непосредственность

Иногда даже небольшой элемент плетения может придать прическе богатство и красоту. В данном образе использовалось обычное плетение. Ничем не примечательное, оно удачно подчеркнуло Завершенный образ! Отсюда следует вывод: красота — в простоте, и не стоит лишний раз «изобретать велосипед», чтобы выделиться из толпы оригинальностью.

Прическа проста в исполнении и подходит для любого случая. Не стоит останавливаться на данной идее, ее можно обыграть еще как минимум тремя разными вариантами, вытянув пряди из косы, еще сильнее накрутив и начесав пряди или же собрав локоны в объемный пучок сзади или сбоку.

1 Выделите косым пробором зону челки, как показано на фото.

2 Отделите небольшую прядь, как показано на фото. Разделите ее на три равные части и заплетите внешний вариант трехпрядной косы.

3 Данный вариант плетения отличается от простой косы лишь тем, что крайние пряди мы всегда убираем под низ (под соседнюю прядь), вместо того чтобы класть их на соседнюю прядь, как в обычном варианте косы.

В ПРИЧЕСКЕ ИСПОЛЬЗОВАЛИСЬ:

Маленькие силиконовые резинки
Плойка
Гель-коктейль
Лак

4 В данной прическе к крайним прядям сверху добавлялись еще дополнительные пряди из зоны челки. Таким образом заплетите все волосы из зоны челки. Зафиксируйте конец косы резинкой.

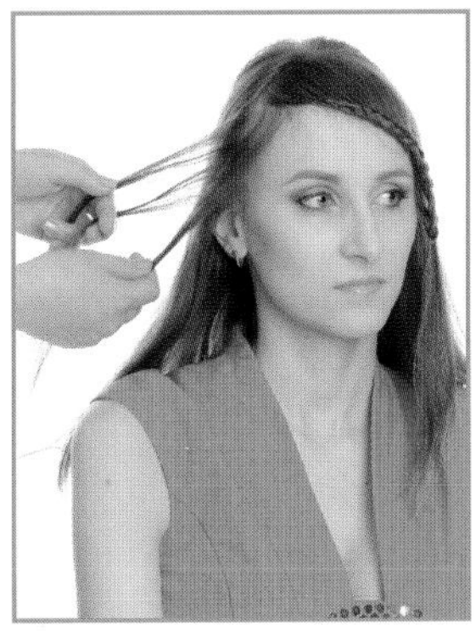

5 Выделите с другой стороны небольшую прядь волос. Разделите ее на три равные части.

6 Заплетите аналогично внешний вариант трехпрядной косы

7 Подхват дополнительных прядей делайте только сверху, как показано на фото.

8 Соедините две косы в одну. Зафиксируйте резинкой. Все остальные волосы накрутите на плойку.

9 Слегка начешите локоны.

10 Зафиксируйте полученный объем лаком.

11 После того как прическа будет готова, еще раз внимательно осмотрите ее со всех сторон. Проверьте равномерность вытянутых прядей, при необходимости подкорректируйте прическу шпильками или невидимками. Зафиксируйте лаком.

Изумительное совершенство 

Если вы планируете провести вечер в спокойной обстановке или просто предпочитаете в этот день выглядеть более женственно и элегантно, вам подойдет следующий вариант укладки.
Это модно, стильно, просто! К тому же не вызывает сложностей для создания такого варианта укладки на себе самостоятельно.

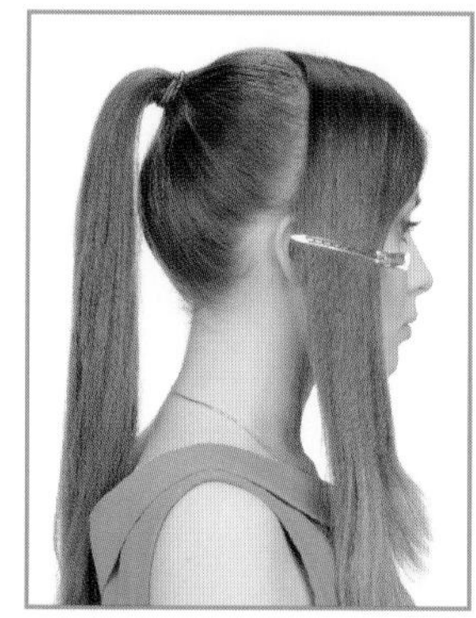

1 Выделите косым пробором зону челки, как показано на фото. Остальные волосы соберите в высокий хвост.

2 Выделите из хвоста тонкую прядь.

3 Разделите ее на три равные части.

4 Заплетите простую косу из трех прядей.

В ПРИЧЕСКЕ ИСПОЛЬЗОВАЛИСЬ:

- Невидимки
- Маленькие силиконовые резинки
- Резинка с крючками
- Плойка
- Гель-коктейль
- Лак

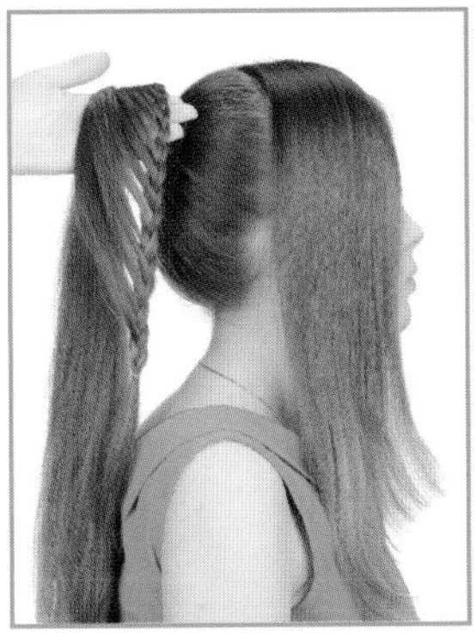

5 К каждой крайней пряди слева не забывайте добавлять дополнительную прядь, как показано на фото.

6 Заплетите несколько кос с подхватом с одной стороны. В данном варианте прически получилось пять кос. Количество кос зависит от густоты волос.

7 Соберите концы всех пяти кос и уложите их на основание хвоста. Спрячьте концы под резинкой, зафиксируйте невидимками.

8 Накрутите пряди из зоны челки на плойку. Выделите небольшую прядь, как показано на фото.

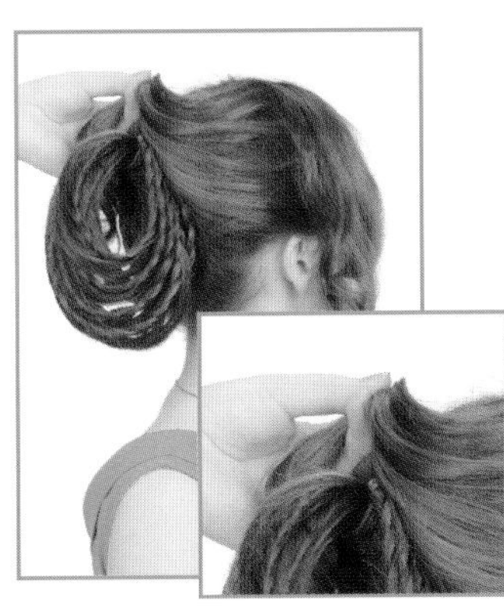

9 Уложите на хвост прядь, выделенную из зоны челки.

10 Обмотайте ею основание хвоста поверх резинки.

11 После того как прическа будет готова, еще раз внимательно осмотрите ее со всех сторон. Проверьте равномерность вытянутых прядей, при необходимости подкорректируйте прическу шпильками или невидимками. Зафиксируйте лаком.

Заманчивая и гордая ***

В ПРИЧЕСКЕ ИСПОЛЬЗОВАЛИСЬ:

Невидимки
Маленькие силиконовые резинки
Гель-коктейль
Лак

Данный образ — прекрасный вариант делового стиля. Минимум элементов, строгость, но в то же время с изюминкой в плетении. Сложность создания данного варианта на себе заключается только в плетении, но при желании его можно заменить другим, не менее скромным вариантом.

Фантазия — незаменимая способность и огромный козырь в руках творческого человека. Работайте над развитием своей фантазии, и она обязательно вам поможет в создании ваших собственных шедевров.

1 Выделите косым пробором зону челки, как показано на фото. Остальные волосы соберите в хвост.

2 На хвосте сделайте начес.

3 Сформируйте валик из начесанных прядей. Зафиксируйте по краям валик невидимками.

4 Зону челки разделите косым пробором на две части.

5 Выделите из первой части небольшую прядь волос. Разделите ее на две равные пряди.

6 Скрестите их между собой. Выделите сверху из зоны челки небольшую прядь и вложите ее между двумя скрещенными прядями. Таким образом доплетите косу до конца.

7 Выделите из второй части волос небольшую прядь. Разделите ее на две части.

8 Скрестите их между собой и вложите между скрещенными прядями пряди из первого плетения, как показано на фото.

9 Для создания объема вытяните немного пряди у лица.

10 После того как прическа будет готова, еще раз внимательно осмотрите ее со всех сторон.

11 Проверьте равномерность вытянутых прядей, при необходимости подкорректируйте прическу шпильками или невидимками. Зафиксируйте лаком.

Благодарственное письмо

Хочу тепло и искренне поблагодарить всех девочек, активно участвовавших в съемке, а именно: всех моделей, осветивших страницы моей книги своей красотой; визажистов Нелли Ибрагимову, Яну Лело и Тори Лова, помогавших подчеркнуть совершенство наших моделей, и дизайнера одежды Анну Гладкову за помощь в создании образов для книги.

Особую признательность хочется выразить моему главному помощнику, организатору, мастеру своего дела, талантливому фотографу и просто человеку с огромным сердцем и ангельской душой — Эмилии Жиловой.

Это моя первая книга, и мне, конечно же, хотелось сделать ее интересной, качественной, познавательной. Я рада, что нашла достойных помощников, специалистов и мастеров своего дела. Все вы отнеслись ко мне и моему проекту с большим энтузиазмом и пониманием и проявили себя настоящими профессионалами, знающими и любящими свое дело.

Благодаря вашему участию за невероятно короткий промежуток времени было подготовлено и отснято 50 мастер-классов, 40 из которых вошли в книгу.

Хочется пожелать вам всем успехов, благополучия и процветания в вашей творческой работе, чтобы ваши мечты и цели всегда сбывались, чтобы с вами всегда были добрые, отзывчивые, талантливые люди, с которыми вы осуществляли бы все свои задумки.

Благодарю за сотрудничество!
С искренним уважением, Лена Колпакова